LES DOIGTS
DANS LE NEZ

DU MÊME AUTEUR

Dans la même collection :

SAN-ANTONIO

LES DOIGTS DANS LE NEZ

Roman Spécial-Police

© 1978. — Éditions Fleuve Noir, Paris.

Reproduction et traduction, même partielles, interdites. Tous droits réservés pour tous les pays, y compris l'U.R.S.S. et les pays scandinaves.

ÉDITIONS FLEUVE NOIR
69, Bd Saint-Marcel - PARIS XIIIe

ISBN 2-265-00059-0

Télégramme adressé par San-Antonio
à ses éditeurs :

Personnages de ce livre fictifs — stop — prière envoyer aux prunes les tordus prétendant se reconnaître — stop — amitiés.
SAN-ANTONIO.

A Jeanine et à Roger.
S.-A.

PREMIÈRE PARTIE

UNE MESURE INDUSTRIELLE POUR RIEN

— Je vous jure qu'il vous va ! assura Fernand Albohaire, mon tailleur et néanmoins ami.

Pinaud, qui s'examinait dans la glace à trumeau, hocha la tête d'un air de doute et fit appel à mon jugement.

— Qu'en penses-tu, San-Antonio ?

Je jetai un regard à ce reflet de l'élégance masculine que me proposait le miroir. J'avais amené Pinaud chez mon pote Albo parce que le Chef lui avait reproché sa mise fripée. « Tu seras loqué comme un *lord*, avais-je promis à Pinuche. Chez Albo, la devise c'est « Le luxe des Champs-Élysées et les prix du Carreau du Temple ! » Il s'était laissé guider d'un air hermétique jusqu'à ce salon d'essayage en se demandant obscurément si je n'agissais pas dans un but de lucre. Fernand lui avait collé d'autor sur le bâcle un costar marron à rayures blanches comme s'en offrent les instituteurs avant de partir en vacances. Avec ça, Pinuche paraissait avoir gagné le gros lot d'une tombola et, chose curieuse, une fois sur lui, le complet n'avait plus l'air neuf.

— Tu me rappelles un zèbre que j'ai beaucoup aimé, dis-je, évitant le regard implorant de Fernand qui tenait à fourguer ce rossignol. « Ce costar est à recommander pour les filatures. Avec lui, tu es aussi certain de passer inaperçu qu'un furoncle sur le nez de Martine Carol !

Pinaud fit la moue.

— Je ne supporte pas la rayure, admit-il.

— Tu poses mal le problème, je crois que c'est la rayure qui ne te supporte pas...

Dans la glace, sa pauvre gueule ne se ressemblait plus. Mais, vue à l'envers, elle paraissait tout aussi lamentable que lorsqu'on l'examinait en direct. Sa moustache fanée, ses yeux morts aux paupières en virgule, son teint jaune et ses dents de cheval hépatique (fausses pourtant), ne gagnaient rien au jeu de glace. Ça ajoutait quelque chose d'insolite à sa bouille qui aurait pu servir de couverture à un traité sur *La constipation à travers les âges, du 17e arrondissement à nos jours*, préface de Daniel Rollmops.

— Je vais vous en faire essayer un autre, trancha Fernand. Je crois que vous devez vous orienter dans les bleus. J'ai justement du Roubaix.

Pinaud se déloqua en nous plaçant le *curriculum* de son cousin le footballeur qui, justement, avait joué comme ailier dans l'équipe de Roubaix en 1928. Il nous faisait un strip-tease qui aurait fait grimper le prix de la limonade à la *Rose Rouge* ! J'avais déjà vu des calcifs à fleurs, mais jamais des comme le sien ! Sa bergère avait dû le lui confectionner avec une vieille robe de chambre et elle avait gardé les manches de la première pour servir de jambes au second. Le motif représentait une pluie de roses pompon sur un fond d'azur. Dans l'ensemble et nonobstant l'usage du sous-vêtement, il n'était pas sans évoquer la petite sainte Thérèse de Lisieux.

Fernand, qui radinait avec un nouveau complet violet-indigestion, en est resté comme quinze mètres de crêpe de Chine sur un rayon. Il s'est frotté les lampions pour vérifier s'il n'était pas l'objet d'une hallucination.

— La réalité dépasse la fiction ! lui ai-je fait, manière de le mettre à l'aise.

Pinaud s'est introduit dans le nouveau costume. La veste lui descendait aux genoux et son futal ressemblait à deux bandonéons.

— Tu ne le trouves pas un peu grand ? m'a-t-il demandé.

— C'est une simple question de retouches, s'est empressé d'affirmer Albo.

Pinaud se faisait des mines devant la glace. Ses chaussettes de laine étaient trouées au talon et à l'extrémité du pied. L'ongle en tuile de son gros orteil n'avait pas été taillé depuis plusieurs années et la mère Pinuche ne luttait plus contre lui.

— La couleur me plaît, fit mon éminent collègue.

— Tu aimes les aubergines ? demandai-je.

— C'est le bleu mode, coupa Fernand Albohaire.

— Et puis, repris-je, avec ça tu as un avantage, lorsque le complet est usé on ne s'en aperçoit pas, car neuf il a déjà l'air de l'être !

Fernand soupira :

— Ce San-Antonio, il faut toujours qu'il dise des bêtises !

Avec l'autorité inhérente à sa profession, il commença à tracer des traits à la craie sur l'épouvantail.

— N'en coupez pas trop ! sollicita Pinaud, donnant de ce fait un accord de principe, j'aime mes aises !

— 'Tu les auras, promis-je. Tu pourras même inviter du monde dans ton complet.

La cérémonie de l'essayage terminée, Fernand proposa un apéritif au bistrot d'à côté. Nous nous y rendîmes sans même laisser à Pinaud le temps de rajuster ses bretelles. Il acheva de se vêtir devant le rade et le Dry-Pale qu'on lui servit le tenta tellement qu'il en omit de boutonner sa braguette.

— Tu vas t'enrhumer, fis-je observer finement.

Je remarquai alors que le visage sympathique de mon copain Fernand était noyé de rêve.

— A quoi penses-tu ? lui demandai-je.

Il vida son verre et hocha la tête.

— Faut que je te dise quelque chose.

— Vas-y...

— Pfff, c'est idiot. Tu vas dire que je vais trop au cinéma !

— Accouche, quoi !

Alors il se recueillit pour préparer les mots. L'instant était solennel. Pinaud en profita pour ôter son râtelier dans lequel une molaire en porcelaine avait des velléités de fuite. En parfait militant du système D, il la bloqua avec une particule d'allumette et enfourna le total d'un geste automatique, tellement automatique même qu'il se gourra et mit le râtelier à l'envers, ce qui lui donna immédiatement l'air d'un vieux lapin.

Moi, je biglai Fernand. Fernand est un

homme posé qui, en dehors de son peigné pure laine, ne vend pas de salades.

Il paraissait grave et ça m'intéressait.

— Voilà, attaqua mon ami. Tu sais que j'habite la banlieue...

— Je sais...

— Fontenay-sous-Bois, pour préciser.

— C'est un coin charmant.

— Non loin de chez moi, il y a une maison en construction. Depuis six mois les travaux ont été abandonnés parce que le propriétaire est entré dans un pylône à haute tension au volant de sa bagnole et le chantier tourne au terrain vague...

— Écris au ministère de la Reconstruction, coupai-je. Il te répondra peut-être avant que la maison soit achevée.

Fernand haussa les épaules.

— Il ne s'agit pas de ça ! Figure-toi qu'un matin, il y a environ trois mois, j'ai vu une voiture dans le chantier... J'ai cru qu'elle appartenait à un maçon venu là pour continuer les travaux, seulement personne ne travaille dans la propriété et, depuis les trois mois, la bagnole s'y trouve toujours...

J'ai regardé Pinaud. Il venait enfin de rétablir l'ordre dans sa boîte à ragoût et, satisfait, demandait à la patronne du bar si elle ne pouvait pas lui fournir une aiguillée de fil noir pour recoudre l'agrafe de son falzar. Navré par cette indifférence de mon collègue, je me suis rabattu sur Fernand.

— Tu veux dire que la voiture est abandonnée ?

— Elle en a tout l'air. Je n'ai vu personne auprès d'elle...

— C'est peut-être quelqu'un qui la gare là, en douce ?

— En ce cas, ce quelqu'un s'en servirait de temps en temps !

— Il se peut que ce soit une voiture volée !

Mon pote le tailleur s'est épanoui. Je venais d'exprimer le tréfonds de sa pensée.

— C'est ce que je pense...

— Qu'est-ce que c'est comme voiture ?

— Une vieille Celtaquatre noire... Très fatiguée, je t'assure !

— Tu as relevé son numéro ?

— Non, mais j'ai regardé tout de même la plaque. Elle est immatriculée dans l'Isère... Et c'est un vieux numéro car il comporte encore les lettres.

J'ai secoué la tronche.

— Signale le fait à ton commissariat...

— Mais je l'ai fait !

Du coup, il m'intéressait.

— Et alors ?

— Ils ont pris note... J'ai rencontré le secrétaire de police hier, à la boucherie et je lui ai demandé s'il avait du nouveau. Il m'a dit que la voiture en question n'a jamais été signalée comme volée...

Comme je ne me manifestais pas, il a murmuré :

— Tu ne trouves pas ça mystérieux, toi ?

— Apparemment, si !

Pinaud, à cet instant, a poussé un juron retentissant parce qu'il avait cousu sa chemise après son pantalon en fixant l'agrafe baladeuse.

— J'ai pas mes lunettes, expliqua-t-il. Ma femme me les cache toutes les fois qu'elle fait du poisson !

Fernand ne sourit même pas. L'auto, sans jeu de mot, lui trottait par la tête.

A moi aussi. Je crois vous avoir parlé par ailleurs de mon sens olfactif qui me permet de renifler les histoires louches. J'en avais les naseaux exacerbés.

— On peut la reluquer, cette calèche ?

— Viens déjeuner à la maison...

La proposition m'agréait, car j'avais campo ce jour-là. Et puis j'aime bien Fernand parce que c'est le genre de gars qui, s'il a des idées préconçues, les garde pour lui.

— Ça joue !

En homme courtois, Albo a demandé à Pinaud s'il voulait se joindre à nous. La vieille cloche a hésité. Il avait du turbin pressé. Il a sorti de sa poche un carnet graisseux comme un repas de cochon et l'a feuilleté lentement. Chaque page avait son étoile de graillon.

— Pinaud, lui ai-je dit en montrant le carnet, débarrasse-toi d'un préjugé qui te coûte cher, emploie plutôt Astra !

Comme il est toujours en retard d'une question, c'est à celle de Fernand qu'il a répondu.

— Je regrette : j'ai un interrogatoire à quatorze heures !

Nous l'avons laissé because l'heure de la tortore carillonnait à plein chapeau à tous les bons clochers et jusque dans nos estomacs.

* *
*

Oui, cette fois-ci, c'est exactement de la façon qui suit que le bidule a commencé. J'attire votre attention sur l'innocence du hasard qui choisit pour se manifester les faits les plus menus et les moins sociaux, tels qu'une observation du Vieux sur la mise négligée de Pinaud.

LA FOIRE A LA FERRAILLE

Elle n'était pas laubée, la tire dénichée par Albo. Le gonze qui l'avait moulée làga ne devait pas avoir emporté de regrets car on pouvait estimer qu'elle avait terminé sa brillante carrière, la Renault ! Durant ses vingt ans d'existence, elle en avait becqueté de la distance, la pauvrette. Quinze fois on avait dû lui changer son train de chaussons, et les soupapes avaient dû être tellement rodées qu'il n'en restait plus ! Pourtant, quand j'ai eu actionné douze fois le démarreur, elle a toussé comme Pinuche quand son catarrhe le travaille. J'ai vérifié le réservoir de tisane, il ne restait presque plus d'essence. Depuis que le char d'assaut se trouvait en congé de maladie, la sauce qui pouvait y subsister s'était évaporée.

Fernand, qui me regardait œuvrer, avec un brin de dévotion et trois kilos cinq cents de respect, comme on regarde un toubib ausculter votre bonne vieille moman, m'a proposé, la voix humide :

— J'ai un jerrican à la maison...

— Va le chercher...

Je n'avais pas l'intention de m'inscrire aux Vingt-quatre Plombes du Mans avec cet os, mais, accaparé par ce petit mystère de l'auto abandonnée, je tenais à vérifier plusieurs points, notamment si elle était capable de fonctionner. Le zig qui l'avait carrée dans ce chantier avait pu tomber en rideau à proximité et l'avoir soustraite aux interdits de stationner en attendant de venir la récupérer.

Fernand y est allé de ses dix litres de bouillon. Comment qu'elle s'est régalée, la Renault ! Elle demandait que ça pour recommencer une seconde existence ! Les pistons faisaient bien un bruit qui n'était pas sans évoquer un sac de ferraille dévalant un escalier, mais c'était de la broutille. Telle que, elle pouvait encore balader du bonhomme !

Le fait qu'un peu d'essence subsistait dans le réservoir et compte tenu du phénomène de l'évaporation et du temps passé depuis qu'on l'avait remisée ici, il fallait écarter aussi la possibilité d'une panne d'essence.

— Qu'en penses-tu ? m'a demandé Fernand.

J'ai haussé les épaules, mécontent. Je ne pensais rien. J'avais un joli pacson de coton à la place du cerveau... Ça me filtrait vachement la gamberge !

Je me suis mis à l'examiner en détail, de l'intérieur. Les banquettes crevées bavaient un crin empestant le moisi et, çà et là, des ressorts à boudin pointaient comme des champignons après une averse. Fallait être Charpini pour voyager là-dedans ! Les poches à soufflet des portières contenaient une vieille carte départementale de l'Isère que je me suis empressé de déployer en espérant y trouver des indices... Mais seules les mouches s'étaient manifestées sur la carte, la criblant de localités sans nom ! Outre cette édition de la maison Michelin, les poches contenaient aussi des outils de première nécessité, un boîtier rouillé de lampe électrique, et la plaque d'identité du propriétaire qui, justement, faisait défaut sur le tableau de bord. C'était une plaque de cuivre bouffée par le vert-de-gris. Je l'ai astiquée sur la banquette pour pouvoir déchiffrer les caractères qui s'y trouvaient gravés. J'ai lu :

Auguste Viaud
7, boulevard Rey - Grenoble

Fernand s'impatientait. Il voulait mon diagnostic.

— Alors, San-Antonio ?

— On a déjà le nom du proprio de l'engin, y aura pas besoin de faire des recherches à la préfecture de Grenoble...

— Qu'est-ce que tu vas faire ?

— Moi, rien... Si, je vais passer un coup de grelot à l'un de mes collègues de Grenoble pour lui signaler la présence de ce véhicule ici !

Mon pote était déçu. Il avait trop bouquiné Fantomas et il s'imaginait que j'allais me carrer une plume dans le dos et cavaler dare-dare sur le sentier de la guerre !

J'ai soulevé les banquettes, histoire de vérifier si rien ne clochait par là. Je n'ai trouvé que de la bourre d'étoffe, de la saleté et de la moisissure...

— T'as vu le coffre ? m'a demandé mon ami.

— Momente !

Je suis descendu et j'ai contourné le bahut. Il avait triste allure. Les ailes pendaient comme celles des canards, et la peinture noire cédait toute surface à la rouille.

J'ai actionné la poignée du coffre, mais c'était midi pour l'ouvrir. On avait fermé à clé et le temps, joint à l'humidité, avaient soudé la porte du coffre. Malgré mon sésame qui a la réputation d'ouvrir toutes les serrures, y compris celles des ceintures de chasteté, ç'a a été macache !

— Rien à faire, hein ? a soupiré Albo.

— Bouge pas, il faut toujours opposer la force à la force !

Sur le plancher avant de l'auto, j'avais renouché des démonte-pneus. A l'époque où la Renault avait été mise en circulation, les conducteurs réparaient eux-mêmes leurs boudins quand ceux-ci exhalaient le dernier soupir. Faut dire qu'il n'y avait pas lerche de garages le long des routes ! On emportait son essence dans la malle avec une lanterne à acétylène pour parer au manque de lumière. Et quand on n'avait pas de flotte à mettre sur le carbure de la loupiotte, ma foi on pissait dessus, soit dit sans vous offenser ! Le bon temps, quoi !

Maintenant, l'humanité est devenue un projectile. Lorsqu'on boit de la bière au buffet d'Orly, on l'évacue dans les closets de Karachi, c'est la vie !

J'ai cramponné un démonte-pneu et je suis revenu à la malle. C'était bien du tintouin pour ballepeau, mais dans mon turf, on ne néglige jamais rien. J'ai engagé l'extrémité recourbée de la tige d'acier sous la poignée du coffre, dans le trou où la serrure s'enclenchait. J'ai pris appui sur le pare-chocs et je me suis mis à pousser de

tout le poids de mes cent soixante-dix livres ! Ce
panneau résistait. Avant guerre, on faisait des
trucs costauds, croyez-moi. C'était pas de la
quincaillerie qui se gondole lorsqu'on éternue.

— Attends, m'a conseillé Fernand, on va
mettre tous les deux le pied sur le levier...

Comme il ne pèse pas un duvet, lui non plus,
ç'a été radical : le couvercle de la malle a fait
camarade avec un bruit d'explosion.

Une odeur fadasse s'est alors répandue à la
ronde. Une odeur étrange qui me rappelait
quelque chose... Je me suis penché au-dessus de
l'ouverture béante et j'ai su ce que l'âcre remu-
gle évoquait en moi : une tombe !

J'avais fait une descente dans un caveau de
famille une certaine nuit, et c'était bien la même
odeur doucereuse et écœurante que je retrou-
vais ! Une odeur qui parlait à la viande !

Fernand est devenu d'un joli vert olive.

— Mais...

Il n'a pas pu en dire davantage... Au pas de
course, il caltait à l'intérieur de la maison
inachevée pour appeler « Hugues ». Fallait en
effet avoir le palpitant bien arrimé pour supporter le spectacle !

Dans le coffre, il y avait la carcasse d'un
homme... Un peu avancé pour son âge, le
défunt ! Il ne restait de lui que le squelette... Un

squelette vêtu d'un costume noir moisi... Il avait sur le crâne une couronne de cheveux blancs et il portait des lunettes. Elles avaient tenu parce que les branches étaient à crochet souple et qu'elles s'étaient soudées au crâne du zig... Jusque-là, j'avais vu pas mal de cadavres dont certains dans des états effroyables. Mais, je l'avoue, je n'avais jamais vu un mort aussi hallucinant, aussi tragi-comique que celui-là... On eût dit une caricature de la mort. Il ne faisait pas vrai ! Il était plié en deux, les jambes remontées, dans la position d'un fœtus et, dans le fond, c'était bouleversant de voir qu'un homme avait en quelque sorte bouclé graphiquement la boucle de sa durée humaine.

Ne pouvant supporter davantage l'odeur sournoise, j'ai laissé retomber le couvercle du coffre.

J'étais sérieusement sonné par cette trouvaille. Elle me paraissait inouïe... Ceci pour une raison bien simple, mon expérience en matière criminelle m'avait fait comprendre au premier coup d'œil que ce mort *était depuis des années dans le coffre !*

Ça n'était pas la première fois que je dénichais un macchabée dans une malle d'auto, mais c'était la première fois que j'en trouvais un y ayant séjourné si longtemps.

Fernand rappliquait avec des yeux qui se croisaient les bras.

— On peut dire que tu as eu la main heureuse, ai-je soupiré. Quand tu joues les Sherlock, tu ne fais pas la demi-mesure !

— C'est épouvantable ! Il est mort, hein ?

La question était si saugrenue que je n'ai pu contenir mon hilarité. C'était contagieux, probable, car il s'est lui itou fendu le pébroque : la réaction, quoi !

— On l'aurait découpé dans de la tôle ondulée qu'il ne serait pas plus mort, ai-je certifié. Et ça fait un sacré moment, tu peux me croire. S'il a oublié de fermer le gaz en partant, ses héritiers auront à casquer une note salée !

— Qu'est-ce qu'on fait ?

— T'as pas un fond de cognac ?

Ça s'imposait, en effet. Nous avons moulé le corbillard pour regagner son pavillon. Sa charmante épouse nous a fait un grand sourire.

— Alors, cette auto abandonnée ! s'est-elle écriée. Vous en avez retrouvée le propriétaire ?

— Peut-être, ai-je soupiré. C'est même un type pas bruyant du tout !

Fernand a versé deux solides rasades de gnole dans des verres ballons et ça nous a redonné la notion des réalités. Il ne restait plus qu'à prévenir la grande maison poulet et réclamer un légiste, because le voyageur sans bagage de la Renault n'était à prendre qu'avec des pincettes !

QUE D'OS ! QUE D'OS !

Favier, l'assistant du médecin légiste (absent de Pantruche) est un garçon sérieux, au visage constellé de taches de son, comme s'il avait piqué une tronche dans le panier à Deibler.

Il passe une blouse blanche, boutonnée sur l'épaule, qui le fait ressembler à un coiffeur de l'élite, et enfile des gants de caoutchouc.

Deux poulardins ont étalé le défunt sur une grande toile cirée blanche, à l'intérieur de la maison en construction. Ces préparatifs ne sont pas sans évoquer quelque bizarre pique-nique. Seulement, comme plat froid, on est servi...

Lorsque le binoclard est déposé sur la nappe, le toubib se met à table. Il commence par examiner les fringues pourries et les ôte par lambeaux qu'un aide glisse dans des sacs de cellophane. En secouant un morceau d'étoffe, un objet plat tombe à terre. C'est le gars moi-même qui le ramasse. Il s'agit d'un portefeuille. Je l'ouvre et j'y déniche des fafs humides. L'écriture des pièces d'identité est pâlotte, mais déchiffrable pourtant. Je lis : « Auguste Viaud, 7, boulevard Rey, Grenoble. » Donc, je ne me suis pas gouré en présumant (toujours ce bon vieux renifleur de première classe !) que le mort était bien le proprio du teuf-teuf !

La pièce est un permis de conduire. A la date de naissance, je lis : 21-4-93, à Voiron, Isère.

Ça et une photo jaunie représentant une vieille dame assise dans un fauteuil avec près d'elle un affreux chien frisé, constitue le contenu du larfouillet.

Nanti de ces tuyaux, je m'approche du toubib qui est occupé à jouer aux osselets.

— Comment ça se passe, Favier ?

Il siffle *La fille de madame Angot* et met un moment à répondre.

— Je viens de trouver des balles à l'intérieur de la cage thoracique et dans le crâne...

— Combien ?

— Voilà la huitième !

Je tique !

— Huit balles ! Mais on a voulu le transformer en presse-purée, ce pauvre type ! Des balles de quoi ?

— De fusil... Je les examinerai postérieurement... Vraisemblablement, ce bonhomme a été passé par les armes, voyez, le temporal est fracassé et il a une balle de revolver dans le citron !

— Le coup de grâce, alors ?

— Oui. Mais c'était du luxe car, avec les pruneaux qui lui ont farci la viande, il devait être mort au moment où on lui a fait ce dernier cadeau.

Fernand, qui musarde dans le secteur, une boutanche de whisky en main, ne pense plus du tout à ses costars... Ses trouvailles vont l'orienter vers le lardeuss en sapin, parole ! Du reste, quand on bigle des oripeaux comme ceux que le toubib vient de découper sur le marchand d'osselets, on est dégoûté des fringues pour le restant de ses jours.

Favier ne paraît pas le moins du monde écœuré. La viande froide, ça le connaît... Notez qu'en fait de bidoche, y en a pas lourd sur la bascule dans le cas présent ! Il est tout juste bon à faire du bouillon gras d'os, l'Auguste Viaud ! Je regarde ce pauvre chéri. Je ne peux retenir un sourire car franchement, entre nous et entre deux guerres, je peux vous certifier qu'il est du genre comique, le vieux macchab, avec sa couronne de tifs et ses besicles...

Je montre les pare-brise à lampions au légiste.

— Vous ne trouvez pas curieux, Favier, qu'on ait flingué ce chinois et qu'il ait conservé ses lunettes ? Merde, une valda dans la tempe, ça doit secouer le gadin plus qu'une migraine, non ? Voyez, les verres ne sont pas même fendus !

Il hausse les épaules, dubitatif comme un canard adulte qui vient de trouver sur le *Larousse culinaire* la recette du canard à l'orange !

Favier, comme tous les experts, ne se mouille jamais plus haut que les chevilles. Ces gnaces qui marnent dans l'hypothèse ont conscience du terrain dangereux... L'hypothèse, c'est glissant comme de la peau de banane.

— Vous savez, fait-il, il y a des phénomènes comme ça... Partant de ce principe, je suis à même de vous donner ma version sur l'origine de la Terre et l'intelligence des gardiens de la paix !

— Il y a longtemps qu'il a becqueté ce plomb ? je demande encore.

— Une quinzaine d'années...

— Il a la digestion laborieuse, ce gnaf, hein ?

— Un peu...

Les copains de l'identité se la radinent avec leurs flashes, et c'est la mitraillade... L'arrivée des journaleux ne fait que renforcer la distribution de magnésium. On se croirait à Monaco un jour de mariage princier ! Fernand, l'auteur de la trouvaille, pose pour la postérité, deux doigts passés dans le décolleté de son falzar...

Je m'approche de lui :

— Ça n'est pas encore Napoléon, lui glissé-je, mais ça n'est déjà plus Bonaparte... *Ciao*, mec, je me brise...

— Comment, tu ne restes pas à dîner ?

— Excuse du peu, mais un squelette au repas de midi suffit à mon petit appétit... Et puis j'ai une rididine qui attend ma relance !

Il sourit.

— Avec toi, dit-il, la gaudriole ne perd pas ses droits !

Je lui en serre cinq et je retourne à mon bolide.

*
* *

Il fait un temps délicat qui vous masse le battant au gant de velours... Les arbres sont en fleurs, le soleil aussi et les nanas commencent à prendre leurs oripeaux en léger. Le grand décarpillage débute... Rien de tel pour vous faire penser que perpétuer l'espèce est un devoir catégorie A ! J'ai justement embrayé avec une jolie gosse, hier soir, et en la quittant après un premier mimi mouillé, je lui ai balancé un rembour que je tiens à honorer (non, pas de Balzac) de ma présence.

La dulcinée précitée marne en qualité de secrétaire chez un producteur de films. C'est une dame jolie comme un cœur quand il est dessiné par Peynet et qui, deux fois par semaine, va chez Georgel se faire friser la trentaine.

On s'est rencontré simplement, et je n'ai rien fait pour chercher à lui plaire. Simplement elle oubliait un gant sur une table du *Paris*. Je lui ai cavalé au panier pour lui rendre son bien. Elle a dit merci, moi j'ai dit le reste. Et, une heure plus tard, je la débarquais devant sa lourde après lui avoir fignolé mon patin d'attaque numéro 1 (modèle 1942, comportant le titillement gingival, avec appui sur les prémolaires).

Je la retrouve au *Paris*, sirotant nonchalamment un verre d'eau gazeuse. Comment vous dépeindre le lot ? C'est le genre de petite femme adultère qui a un mari dans les voyages, un compte en banque toujours vide et trois garde-robes pleines de fringues.

Elle est châtain cuivré, avec une bouche un peu trop grande peut-être, mais ça n'est pas un mal, des yeux noisette, rieurs, et des contrepoids magistralement équilibrés.

Elle porte un tailleur de toile gris clair avec

des gants orange, itou le sac et les pompes ! Sur le caillou, une espèce de feuille de laitue en paille tango lui tient lieu de chapeau. Soit dit en passant — et en français pour en faciliter la compréhension — il n'y a qu'à Paris qu'on trouve des bibis pareils ! Tous les détritus d'étoffe, de paille ou de carton-pâte sont baptisés chapeaux et vendus comme tels à des nanas qui vont jusqu'à se les filer sur le dôme ! C'est beau, Paris... La ville des bluffeurs, des artistes modestes (venez à ma petite réception intime : y aura Jean-Claude Pascal, France Roche et la Télévision !) et des chèques sur quoi on devrait faire imprimer les premières mesures de *Cavalerie légère* !

Je m'incline sur sa main gantée et lui catapulte mon sourire crépusculaire mis au point par Colgate. Elle en est chavirée... Je dépose ma partie inférieure sur le siège voisin du sien et je lui bonnis un compliment suave sur sa toilette, sa beauté, son rouge (qui n'est peut-être pas du rouge Baiser, mais qui le sera avant longtemps) et la délicatesse de son teint.

Elle prend tout ça en vrac, me signe un reçu et se met à m'entreprendre sur son boulot. C'est la pommade avec ces nistounes qui grattent. Faut toujours qu'elles vous racontent leur turbin en fin de journée.

Celle-là est fiérote de ses prérogatives. C'est elle qui a préparé le contrat de Lolo dans *Brioche, sadisme et constipation.* Pour vous dire... Et il paraît que son patron, Heiffimowitchi, le célèbre producteur français, est un être exquis... Trois ans de taule avec sursis seulement, je vous le fais remarquer... Et membre bienfaiteur pour l'arbre de Noël des agents de police ! Il verse au denier du culte de sa paroisse et il ne refusera jamais de serrer la main à un pauvre. En plus de ça, des goûts modestes, que dis-je... ascétiques ! Une minable Jaguar de l'année dernière... Un pauvre château en Normandie et un hôtel au Bois... La simplicité faite homme, quoi ! Gentil avec tout le monde... Toujours un canapé disponible pour les starlettes qui se trouvent mal dans son burlingue. Elles sont pas plutôt entrées qu'il les fait mettre à leur aise ! Et quelquefois il en engage une... Sans la payer, bien sûr, on ne peut tout de même pas proposer la gloire et le pèze en même temps, ça ne serait pas convenable ! Et avec ça parlant un russe sans défaut. Quelqu'un, quoi ! Une personnalité ! Mieux : une figure !

J'en ai le tympan ravagé. Je profite de ce qu'elle reprend sa respiration pour douiller le loufiat et la cramponner par une aile.

— Vous êtes libre ce soir ? lui demandé-je.

Elle me répond qu'elle est libre jusqu'au mercredi matin neuf plombes, ce qui représente trois jours pleins puisque nous sommes samedi... Je lui en demande la raison, celle-ci est au nombre de deux, comme dirait un mathématicien de mes ennemis. *Primo,* mardi est férié et elle fait le pont ; *deuxio,* son jules est parti dans les Landes pour acheter de la résine, alors qu'il est si simple de s'en procurer chez tous les bons droguistes du quartier !

Ça me fait penser que pour mégnace aussi c'est vacances !

Je me fais suave et velouté.

— Dites, chère vous, que diriez-vous d'un petit voyage, histoire de respirer la nature reverdie ! Moi, j'aime le printemps quand il est taillé dans la masse !

Elle commence par me débiter les sucreries d'usage, comme quoi ça ne serait pas convenable, comme quoi elle est fidèle à son mari et, bien entendu, ces objections ayant été balayées par mes soins, elle finit par me demander où nous pourrions aller.

— A Grenoble, fais-je.

Elle sursaute comme si on avait accordé le droit d'asile dans son slip au troisième bataillon de fourmis à pied !

— Si loin, mais vous n'y pensez pas ?

Elle se figurait, la candide, que je lui proposais la botte dans une hostellerie de Meudon ! Alors là, elle se collait le médius dans l'orifice ! D'abord, j'aime pas le gothique, et ensuite je suis pas le genre de cave qui véhicule des pétasses en grande banlieue pour se donner l'illusion de vivre une autre vie !

Je la moleste.

— Écoutez, Nicole... (elle s'appelle Nicole)... Je vais vous déposer chez vous afin que vous preniez votre brosse à dents et je cours chercher la mienne... On se retrouve dans soixante minutes et on se taille à fond de ballon... On pieute à Saulieu, comme deux chérubins... Demain à midi, on envahit Grenoble... On vadrouille dans les environs... Téléphérique, vue sur les Alpes homicides et tout ! Lundi, repos dans la verdure... Mardi on rentre avec les éponges gorgées d'air... C'est pas la vie bien comprise ?

Elle admet et on réalise mon plan. La môme Nicole y apporte deux variantes, c'est-à-dire qu'elle me retrouve deux plombes plus tard, et qu'outre sa brosse à dents, elle emporte deux valtouzes de fringues...

Tout de même, à huit heures, nous stoppons dans les environs de Fontainebleau, chez un pote à moi qui prépare le poulet à la crème comme un pape ! Et à minuit, un grand hôtel de Saulieu nous loue une chambre à deux lits donnant sur la cour...

C'est un instant émouvant que celui du dodo. On est gêné, curieux, anxieux... Mais tout se passe bien. Probable qu'avant de se marida, la Nicole a eu une conversation complète (avec planches dessinées et projections en couleurs naturelles) avec madame sa mère, parce que pour la question elle est championne ! Son marchand de résine n'a pas dû l'entretenir à la fainéantise ! Il est abonné à *Mes Délices,* le gars... Un zig qui apprend des trucs pareils à sa bergère est un bienfaiteur de l'humanité. Les amants de madame devraient fonder un club pour lui rendre hommage et signer des pétitions afin de lui faire décrocher la Légion d'honneur !

Nous ne nous endormons pas avant trois heures du mat, c'est vous dire que nous passons le programme complet, sans coupures !

Et c'est un salopard de coq qui nous réveille le lendemain en faisant le mirliflore sur un tas de fumier.

Petit déjeuner au page ; bain en commun, carambolages aquatiques... Nous nous relingeons et, fouette cocher ! En route pour la capitale du Dauphiné !

La petite secrétaire de production ne regrette

pas le voyage. Elle tient sa tête appuyée sur mon épaule pendant que je conduis... Ça me gêne un peu dans les virages ou pour passer les vitesses, mais si je l'envoyais se faire voir, elle penserait que je n'ai pas la reconnaissance du calbar... C'est une des différences fondamentales entre la femme et l'homme.

Après les vols planés avec atterrissage sur l'édredon (train d'atterrissage rentré), les bonshommes n'ont plus qu'un souci : vite retourner à leurs pensées, à leurs soucis, à leurs occupations... Ils redeviennent admirablement, brutalement eux-mêmes, alors que les souris, au contraire, se mettent à jouer *Carmen* en Vistavision sur écran panoramique ! C'est la grande roucoulade reconnaissante, l'intense soupir libéré, la pâmoison du second degré... Les serments au subjonctif présent ; les caresses agaçantes, celles qui ne vous émoustillent plus, mais vous chatouillent ou vous cassent les noix !

Ce qui plaît le plus aux mâles chez ce que les gens de la bonne Société appellent les professionnelles de l'amour et ceux de la mauvaise « les gagneuses », c'est qu'après, elles ont plus hâte encore que vous de filer au labeur. Elles vous dispensent du sirop de pomme !

Pour rétablir ce bon équilibre dont j'ai le souci constant, j'oriente le bla-bla sur des choses sérieuses. Elle me parle de son foyer, de la bagnole de son mari qui roule plus vite que la mienne, de son mixer neuf et de l'intérêt qu'a une Parisienne à acheter ses fourrures au moment des soldes. Ces considérations nous mènent jusqu'à Chagny... Elle passe alors à son masseur qui lui fait des trucs contre la cellulite et nous en avons jusqu'à Mâcon. Puis c'est la vacherie de son amie Barbara, une grande bringue qui fait du rentre dedans à son jules, et ça nous permet d'atteindre Grenoble commodément.

Une fois dans la capitale du Dauphiné, nous retenons une carrée dans un chouette petit hôtel peinard, avec fenêtre sur les glaciers étincelants et je dis à ma doudoune qu'une balade à pince s'impose, because j'ai besoin de me faire circuler le raisin après cette longue station assise. Moi je suis comme les pompes à essence : j'aime la position verticale !

Nicole est une fille épatante, en ce sens que sa docilité n'a d'égale que son initiative au lit.

Nous voilà partis, vous l'avez deviné, à la recherche du boulevard Rey que je n'ai pas la moindre peine à découvrir.

Au numéro 7, j'abandonne Nicole un instant sur le trottoir sous le prétexte fallacieux de me rencarder sur un aminche et je demande après M. Auguste Viaud...

La personne que j'interviewe est une bonne dame de mise austère qui doit gratter comme chaisière à l'église du coin. Sa moustache brune, son air sévère, ses cheveux tirés comme la culotte d'un toréador racontent mieux sa vie qu'elle ne le ferait par le verbe.

— Pouvez-vous me dire si monsieur Viaud habite toujours ici?

Ça la commotionne comme si je lui proposais les attributs de Pierre le Grand conservés dans de l'alcool à 90°.

— Mais, monsieur! grince-t-elle.

Sa voix me fait penser à un mauvais frein de vélo actionné dans une descente.

J'attends la suite de son exclamation. Elle arrive en bagage accompagné.

— Monsieur Viaud est mort, balbutie-t-elle avec ce ton de fausse commisération qui fait le charme des vieilles morues dessalées à l'eau bénite!

— Voyez-vous! m'exclamé-je, toute affaire cessante.

Mon air apitoyé s'harmonise avec son expression contristée. Une vraie statue du deuil, cette personne! Vouée au crêpe noir, même si elle s'appelle Georgette! Je l'imagine, petite, en classe, déjà cafardeuse, déjà en boule contre la moitié de l'humanité et pleurant des larmes de crocodile sur l'autre moitié ! Elle me botte, comme disent les égoutiers. C'est l'éternelle veuve dans toute sa tristesse. Quand elle serre la pogne de quelqu'un, c'est comme si elle lui présentait des condoléances. Toujours en rogne, toujours en berne, faite pour apprendre des morts et pour noyer les petits chats de la voisine, faisant la toilette des cadavres d'amis plus souvent que la leur, sentant le bois vétuste, la tristesse et le renfermé, ce sont les bouffeuses de joie de notre civilisation !

Je sens qu'elle va m'en bonnir un paquet sur le petit copain à Fernand.

— Il est mort ! fais-je en examinant la grosse verrue à aigrette qui lui décore le menton.

Elle passe en première et donne un coup d'accélérateur.

— Oui... Et... de façon très pénible...

— Un cancer ?

Elle secoue son chignon hérissé d'épingles.

— Non...

Mon ignorance la tourmente comme une envie d'aller donner dix sous à une gardienne d'édicules.

— Comment se fait-il que vous ignoriez son décès ?

— Voilà vingt ans que je suis parti aux colonies... Je viens juste de rentrer et...

Elle me regarde... Mes trente-cinq carats sont légers... J'y suis allé avec la grosse cuiller à pot en prétextant une absence de vingt berges.

Je corrige presto.

— Mon père était administrateur... Il était très lié avec la famille de M. Viaud...

La vioque rengracit :

— Monsieur Viaud a été fusillé pendant la dernière guerre.

Mon visage se voile comme celui de Lakmé.

— Mon Dieu ! m'étranglé-je.

Je poursuis :

— Par les Allemands ?

— Non, par les Français...

— Les maquisards ?

L'Auguste a dû tripoter un peu avec les chleuhs et il a été vaporisé par la Résistance... Y en a eu d'autres !

Voilà ma perruche qui pince les lèvres.

— Mais pas du tout ! On l'a fusillé en bonne et due forme, après jugement... Il... il faisait de l'espionnage pour l'Allemagne... C'était en 39... En décembre, je crois... On a trouvé un poste émetteur clandestin chez lui et des codes...

Cette fois, ça m'intéresse tout à fait, l'histoire de l'auto abandonnée. Je sens que mon ami

Fernand a mis le naze dans une affure de *first quality* !

Viaud fusillé au fort le plus proche pour espionnage... Et sa carcasse est retrouvée quinze ans plus tard dans la banlieue de Paris !

— Il était marié ?

— Oui... Heureusement, il n'avait pas d'enfants ! Cette pauvre femme... a pu refaire sa vie...

— Avec qui ?

— Elle a épousé un boucher, M. Carotier... Ils viennent de vendre leur fonds et de se retirer sur les bords du lac d'Aiguebelette, en Savoie...

Nanti de ces précieux renseignements, je crois opportun de mouler ce cauchemar ambulant.

— Merci, madame... Ce que vous m'avez appris est bien triste...

Je rejoins miss Clavier et je l'emmène faire un viron dans la campagne verdoyante.

Ensuite, comme sur les imprimés de croisières organisées : dîner dans un site agreste, retour à l'hôtel dans le car d'excursions. Jeux de mains... Puis jeux de vilains... Feu d'artifice ! Feu de Dieu ! Salut aux couleurs et dodo l'enfant do par la manécanterie des Petits tendeurs à la gueule de bois !

MOUCHE TON NEZ
ET DIS BONJOUR A LA DAME !

C'est le bruit lansquinant de la pluie qui me réveille le lendemain matin. J'ouvre les mirettes sur une épaule de femme ambrée, arrondie, odorante, voluptueuse et, illico, je sens des picotements dans toute ma moelle épinière...

Je file un coup de saveur à mon cadran solaire posé sur le marbre de la table de cheveux. Huit plombes ! Je refrène mes désirs matinaux parce que je me dis qu'une fois réveillée, même de charmante façon, la secrétaire qu'Heiffimowitchi (le grand producteur français, l'homme à qui l'on doit tant de succès mondiaux, parmi lesquels *Un immeuble signé Léviatan* et *Avec un J, comme Jules*), la secrétaire d'Heiffimowitchi, disais-je, me resterait sur les brandillons pour une longue, pluvieuse et par conséquent interminable journée.

Je commence à gamberger vilain. Je me

flanque des coups de tatane au prose, lesquels, pour être moraux, n'en sont pas moins douloureux. J'ai eu, je crois, plus grands yeux que grand ventre, comme dit Félicie ma brave femme de mère, en embarquant cette pépée pour plusieurs jours. Faut quand même qu'un jour j'achète un ciseau à froid pour me graver dans le ciboulot qu'un zig comme moi ne peut consacrer plus d'une noye à une pétasse... A moins, bien entendu, qu'il en soit amoureux... Et ça n'est pas encore le cas !

Bonté divine, qu'est-ce que je vais en fiche, de cette bergère arcadienne ?

Sans bouger, je me fais un petit tableau analytique des différents éléments que je possède concernant le puzzle Viaud. Car il m'intéresse, ce fusillé ! Ça peut vous sembler chnock, mais c'est ainsi pourtant. Entre la belle fille qui sent bon la femme et l'amour et le squelette bouffé aux mites, je n'hésite pas... C'est Anatole qui l'emporte... Ou plutôt Auguste ! Et il a bien une tronche d'Auguste, en effet, mon client ! Avec sa tête de mort, ses cheveux en couronne et ses lunettes, je le vois sur la piste d'un cirque, servant de faire-valoir à un clown scintillant !

Auguste ! Non, je vous jure ! Le hasard fait bien les choses !

En loucedé, je sors une quille des toiles et j'aventure un orteil en radar sur la carpette... Je prends contact avec le sol puis j'extrais le solde de mon académie du pageot moelleux. Les volets sont fermagas et ma poulette continue de ronfler comme un départ de course automobile. Je fonce dans la salle de bains, laquelle est heureusement isolée de la carrée par une porte à glissières et j'y accomplis de furtives ablutions. Ensuite de quoi je me linge à la sauvette et je prends mon billet pour une destination inconnue.

Probable qu'elle renaudera, la Nicole, en ouvrant ses lampions! Mais basta, je m'en tamponne l'arrière-salle avec un archet de contrebasse à cordes!

On a mallé si précipitamment de Pantruche quc je n'ai pas pensé à me munir d'un imper. Or il en vase comme vache qui a trop bu de bière. L'arroseur intersidéral fait consciencieusement son turbin, croyez-moi! Je stoppe devant le seuil de l'hôtel, regardant avec mélancolie ce déluge qui paraît vouloir noyer une seconde fois le monde. Le rideau de pluie est si opaque qu'on n'aperçoit plus les montagnes. Et Grenoble sans les montagnes, c'est comme qui dirait Réaumur sans Sébastopol!

Ma tire est rangée à quelques mètres de là...

Comme un gland, j'en ai lourdé les portières, ce qui fait que je suis trempé comme une soupe au lard lorsque je me glisse au volant. Et la pluie d'ici est mouillée, je vous le dis ! Ça ruisselle dans le col de ma limace ; il me semble que mille petits reptiles vont se réfugier sous ma liquette...

Je fais tourner le moulin et je décolle... Au carrefour voisin se trouve un agent en faction. Le pauvre chéri est immobile sous son ciré et la baille pisse de son képi comme d'une gargouille. Elle ruisselle sur son tarin et il la souffle en avançant la lèvre inférieure, ce qui le fait ressembler à un veau marin.

Je stoppe à sa hauteur. Il trouve le moyen de me faire un salut militaire qui lui emplit sa manche droite de flotte.

— Pour aller chez le gouverneur militaire ? je demande.

Il s'attendait à tout sauf à ça... Il se penche pour me regarder. Ma bouille doit lui revenir parce qu'il daigne me répondre :

— La première à droite... Vous traversez la place, c'est la seconde à gauche... Vous verrez...

— Merci...

Je suis les prescriptions portées sur l'ordonnance et au milieu d'une double gerbe d'eau, je fais un amerrissage spectaculaire devant le perron d'une bâtisse triste au fronton de laquelle pend un drapeau qui avait bien besoin de ce lessivage (1).

Une pauvre sentinelle rêve aux cuisses de sa payse dans une guérite, en s'appuyant sur un vieux Lebel.

Je jaillis de mon carrosse et je fonce bille en tête vers la porte. En quatre bonds, je gravis le perron. Me voici dans un hall triste qui sent le cuir et la pierre humide. Un militaire habillé en soldat s'annonce, l'air pas content de voir un civil envahir la carrée.

— Qu'est-ce que c'est ? gronde-t-il.

Je produis mon insigne à ce bull-dog qui hoche la tête avec commisération, en se demandant pourquoi un type aussi bien bousculé que le gars San Antonio s'est engagé dans la sourde au lieu de s'engager dans les tirailleurs sénégalais...

— Vous désirez ?

— Vous devez bien avoir ici quelque chose qui ressemble à un archiviste, non ?

— Je ne vois pas où vous voulez en venir !

C'est sec comme un coup de fouet.

Je prends le mors aux chailles. Ce trouffion

_____

(1) L'auteur a commis cette longue phrase sans ponctuation pour montrer combien les phrases longues sont disgracieuses dans la littérature contemporaine. Il la soumet aux anthologistes de lycée avec l'espoir que sa descendance la retrouvera dans un manuel !

mal torché me porte ostensiblement sur les précieuses. neufs

A cet instant, un général traverse le hall en promenant un superbe bouvier des Flandres au bout d'une laisse. Il me regarde d'un air morne. C'est un grand diable avec les cheveux en brosse, une moustache grise, deux dents en or et la médaille des poilus d'Orient.

Je moule le soldat et m'approche du galonné.

— Pardon, mon général, vous êtes bien le gouverneur?

— Effectivement, pourquoi?

Ce gnard doit être un sang bleu... Il s'exprime avec courtoisie, mais sans descendre de sur ses grands chevaux... Un rescapé de 89, quoi! Un des pensionnaires du Temple qui n'est pas resté sur le carreau!

— Je suis commissaire spécial aux services de renseignements et si vous pouviez m'honorer d'un petit entretien, je serais ravi...

Il me sourit, ce qui me prouve que ça n'est pas deux ratiches en gold, mais quatre, qui lui font miroiter le clavier.

— Veuillez me suivre, monsieur le commissaire...

Je mets une petite caresse affectueuse sur le museau du chien-chien, histoire de faire plaisir au maî-maître... Mais le chien-chien aime pas le poulet et il se met à me grogner après de façon inquiétante.

— Prenez garde, me dit le général, c'est un véritable fauve !

Merci du tuyau... J'ai déjà eu des ennuis avec un berger allemand l'an passé et j'ai pigé ma douleur !

Le général confie la laisse avec ce qu'il y a au bout au planton et m'entraîne vers un bureau aussi solennel qu'une grand-messe chantée à Notre-Dame.

Du lambris doré, de la moulure en plâtre, du tapis vert usé, du mobilier d'acajou faux Empire... Du portrait de militaire... Du militaire !

Je m'insinue dans les brancards d'un immense fauteuil. Il prend place derrière son burlingue et croise ses deux mains blanches conservées dans de la peau de pécari.

— Je vous écoute.

Je me mets au baratin. Le plus simple étant de lui narrer les faits tels qu'ils se présentent, je lui fais un solide résumé de ce qui précède... Il semble prodigieusement intéressé.

— Par exemple, murmure-t-il quand je verrouille mon clapoir. C'est une aventure insensée !

— Oui, c'est pourquoi j'aimerais potasser le dossier de l'affaire. Est-ce possible ?

— Bien entendu.

Il actionne un timbre électrique et un lieutenant s'annonce. Un beau petit blond avec des yeux noyés d'idéal et un uniforme de chasseur alpin.

Il claque des talons comme un miséreux claque des dents en voyant rappliquer l'abbé Pierre.

— Je vous présente le lieutenant Mongin, fait l'étoilé. Il va vous être utile... C'est un garçon très intelligent.

Le petit zigoto rougit et je lui adresse un bon sourire confiant. On refait l'historique de l'affaire au blondinet qui se croit débarqué dans un film policier... Il écoute religieusement.

— J'ai en effet vu ce dossier dans nos archives, dit-il. Je vais le chercher...

Il disparaît. Le général a un geste éloquent pour souligner l'intelligence et l'efficacité de ses subordonnés. J'opine. Nous échangeons quelques considérations sur la flotte qui continue de tomber à pleine bourre. Puis le blondinet se la radine, porteur d'une chemise cartonnée plus

poussiéreuse qu'une bouteille de Mercu-
rey 1929.

Il souffle dessus, ce qui nous donne droit à un
nuage radioactif du plus bel effet et l'ouvre.

Il ne me reste plus qu'à me régaler...

*
* *

La tartine n'étant pas mon fort (comme dirait
Lamaury), je vous passe subrepticement sous
silence les multiples documents relatifs à l'affaire Viaud.

Je vous la résume avec ce sens de la concision,
ce don du raccourci et ce parti-pris de condensé
qui sont les plus beaux fleurons de mon style et
qui font écrire aux critiques des choses tellement
élogieuses sur mon compte que je ne puis
manger désormais que dans de la vaisselle
d'argent.

Donc, passez-vous les étiquettes au rince-
bouteille et croisez les bras sur la table, je vous
déballe le morcif.

Auguste Viaud était représentant pour la
France d'une maison de produits pharmaceuti-
ques de Berlin avant la guerre. Quand en 39 le
gros boum-boum est arrivé, nature il a moulé ses
purges d'outre-Rhin parce qu'il n'y avait pas
mèche d'agir autrement. Il est resté chez lui et
s'est adonné aux joies discutables de l'espion-

nage. Il avait dans son grenier un poste émetteur lui permettant de correspondre par ondes courtes avec les mômes vert-de-gris. Sans doute avait-il pris certains contacts avec les boy-scouts d'Hitler au cours de ses voyages au pays de la choucroute ?... Ayant perdu sa situation, Viaud accepta de trahir sa patrie (ici, coup de clairon)... Son appartement devint un bastion de l'espionnage dans le sud-est de la France..., ou, plus exactement, une sorte de bureau de poste. Différents agents allemands siégeaient chez lui et y centralisaient leurs tuyaux que notre brave Viaud câblait chez les frizous.

Il s'est fait coincer le plus bêtement du monde, par un voisin qui nettoyait son grenier. Le bonhomme perçut le grésillement du poste... Il crut à un incendie et prévint les pompelards qui se la radinèrent avec la grande échelle pour découvrir le petzouille avec un casque d'écoute sur la coiffe.

Ça relevait de la police montée plus que de la lance à incendie ! Les perdreaux succédèrent aux pompezingues et appréhendèrent l'ancien marchand de lavements germaniques qui se retrouva embastillé avant d'avoir eu le temps de dire ouf !

Ce genre de sport vous menait droit dans la rosée en temps de guerre. Viaud passa au tourniquet et se retrouva un vilain matin adossé à un mur avec un chiffon par-dessus ses lunettes.

Je referme le dossier...

Le petit lieutenant de chasseurs me regarde avec un intérêt à au moins quarante pour cent. Le général dessine un diplodocus sur son buvard...

Je fais claquer mes doigts.

— Où Viaud a-t-il été enterré ?

— La famille a réclamé le corps, dit le petit lieutenant. Sans quoi l'acte d'inhumation figurerait dans dossier.

Je me lève.

— Messieurs, il me reste à vous remercier de votre obligeance !

On se distribue des poignées de pattes et je prends congé des galonnés...

Dehors, le déluge n'a pas cessé. Il vase de la hallebarde en fonte renforcée... C'est le moment de sortir sa panoplie de scaphandrier de l'armoire aux mites !

Je cavale à ma voiture qui, maintenant, brille de tous ses chromes. Il faut une averse pour la laver, la pauvrette ! Songeur, je retourne à l'hôtel. La môme Nicole, repeinte à neuf, y piétine la moquette du hall entre deux plantes vertes aux palmes peu académiques.

En me voyant, elle pousse un cri et se précipite sur moi.

— Mais où étais-tu passé ?

— J'étais aux escargots, petite... J'ai toujours eu envie d'avoir un ranch plein de bêtes à cornes.

Elle me bigle, un brin déroutée.

— Mais tu es tout trempé !

Je ne puis nier l'évidence. Pour me justifier je lui désigne le temps pourri.

— Viens te sécher dans la chambre, tu vas attraper la mort !

La mort, je l'attrape par le collet et je m'explique avec elle. Je sais pertinemment que si je grimpe dans la carrée, la môme Production aura une manière bien à elle de me sécher ! Ces gnères, c'est pétroleuse et consort ! Il ne faut pas leur promettre la camelote sur catalogue ! Elles sont pour les livraisons express !

Je me cintre.

— Non, t'inquiète pas... Viens, on s'offre une petite randonnée sous la baille !

Elle ne paraît pas enthousiasmée, mais c'est une fifille soumise et elle s'installe près de moi à l'avant de mon tombereau.

Nous traçons sur Aiguebelette. Je connais ce coin ravissant de Savoie. Ça se situe entre Grenoble et Chambéry, au pied du Mont

Lépine... Il y a un lac bleu d'Auvergne dans lequel la montagne mire son front olympien (1).

Tout y est vert, riant, ferrugineux et antidérapant. Nous y parvenons sur le coup de midi (en réalité on devrait dire le coup d'une heure, midi en comportant douze). Je stoppe devant un bureau de poste grand comme une garde-robe et j'interviewe un facteur qui, la sacoche sur les volets mobiles, s'apprête à aller jaffer.

— Chez M. Carotier, s'il vous plaît?

Il me désigne un tournant de la route.

— La villa au bord du lac. « Mon Repos » qu'elle s'appelle...

Je le remercie.

— Où allons-nous? s'informe Nicole.

— J'ai un client dans la région, puisque je suis de passage...

— Tu travailles dans quoi, au fait?

— Dans les pneumatiques pour roues de brouettes... On vend peu parce que les brouettes n'ont en général qu'une roue... C'est pourquoi je m'accroche à la clientèle.

Comme ça fait deux fois dans la même matinée que je me paie sa hure, elle se renfrogne. J'en profite pour descendre de la voiture après l'avoir serrée contre le talus.

(1) Les fronts des montagnes sont olympiens comme les économistes sont distingués.

LES BRAVES GENS
DE CHEZ NOUS

Jolie maison... Style savoyard décadent avec des volets discrètement peints en rouge vif et une plaque d'émail grande comme une vitrine des Galeries Lafayette pour annoncer « Mon Repos ». Un bouquet de violettes style cimetière orne ladite plaque, laissant envisager que le repos précédé d'un possessif égoïste pourrait bien être éternel.

Je pousse une petite porte à claire-voie et arpente une allée cimentée conduisant à la maison. J'annonce mon académie devant une porte vitrée derrière laquelle un couple est en train de tortorer.

Lui est un gros type rougeaud aux cheveux presque blancs ; elle une dame brune, d'une cinquantaine d'années dûment carillonnées.

En m'apercevant, ils posent d'un commun

accord leurs fourchettes. Le gars crie « entrez », ce que je m'empresse de faire.

— Messieurs-dames...

Les gens n'aiment pas qu'on leur tombe dessus quand ils s'empiffrent. Ça les gêne... Les boas sont tous comme ça...

Le gros ventru me le fait savoir au « Qu'est-ce que c'est ? » brutal qu'il m'expédie dans la portion.

Ils ont l'air de deux bons rentiers... Lui, surtout, a un côté bovin qui rassure. Il doit pas être fortiche pour les mots croisés, Carotier ! Son fort, on le devine, c'est le saucisson de Lyon arrosé d'un coup de beaujolpif. Quant à la dame, elle a épousé ce gros sac pour faire une fin douillette. Beaucoup de « malheureuses veuves » se résignent à convoler avec des mirontons pour assurer leurs vieux jours. Qui ne veut pas la faim veut les moyens !

Elle a des yeux comme deux trous dans du papier noir et elle se distend la rétine à me reluquer.

Je m'approche de la table. Sur un dessous de plat à musique un bœuf mode floflotte en répandant une odeur qui donnerait les crocs à un cannibale.

Je renifle.

— Ça sent bon chez vous !

La vioque louche sur mes semelles crêpe qui impriment un quadrillage savant sur son parquet. On voit danser des flacons de cire liquide dans ses prunelles.

Le gros réprime ce que les gens bien élevés nomment un borborygme et les autres un rot.

— Alors ? insiste-t-il.

Je m'ébroue, projetant de la flotte sur le portrait de l'oncle Adolphe qui se fait tartir, toutes moustaches sorties, dans un cadre en coquillages.

— Si vous voulez bien me permettre, fais-je en annonçant ma carte.

Le gros endoffé épelle :

— Police...

La vieille en pâlit un chouïa.

Je tire une chaise de sous la table et m'installe. Pour commencer, je range ma carte dans mon larfeuille.

— Madame Carotier, fais-je, je suis très ennuyé d'avoir à remuer votre passé, mais j'ai quelques questions à vous poser...

Elle a un geste las et résigné. Quelque chose qui signifie « Je sais, j'ai l'habitude... »

L'ancien louchebem se renfrogne un peu et se croit obligé de prendre un air docte.

En bout de table, il y a un numéro de *Rustica* et le dernier catalogue de la Manu.

— C'est encore au sujet de ce salopard, fait Lagonfle en extrayant élégamment une particule de bœuf de sa dent creuse. Il examine le bout de barbac, le hume avec volupté et le reconsomme incontinent.

— Pourquoi « encore » ? m'informé-je.

Elle hausse les épaules.

— Mon mari ne peut tolérer qu'on évoque mon premier mariage...

L'ancien tueur de ruminants explose :

— Y a pas de quoi être fier, non ? Une ordure comme ton Viaud ! Un marchand de patrie !

L'expression me ravit. Je le calme d'un geste qui, pour ne pas demeurer en reste avec le front de la montagne, est également olympien.

— Monsieur Carotier, je comprends votre ressentiment, mais je vous fais remarquer que le passé est le passé et qu'on ne peut le reprocher à madame Carotier qui en fut la première victime !

Aussi sec, la vioque me balance un coup de sabord reconnaissant. Elle se dit que je sais causer et que c'est bien agréable de la part d'un condé.

— Voyons, madame Carotier, après que votre premier époux eut été passé par les armes, qu'est-il advenu de son corps ?

Des larmes de honte embuent ses cils.

— Il avait encore sa mère... Elle a insisté

pour avoir la dépouille... L'inhumation a eu lieu dans le caveau de la famille Viaud... à Voiron... Ç'a été affreux, nous étions trois personnes en tout et pour tout !

Vous parlez d'une partie de campagne. Des souvenirs pareils ne doivent en effet pas être marrants à cataloguer.

— A-t-il été exhumé depuis ?

— Non, c'est une concession à perpétuité...

— Vous venez de me dire que Viaud avait encore sa mère, ce qui signifie qu'elle est morte depuis ?

— Le chagrin l'a tuée... Elle est décédée en 1941.

— Enterrée aussi dans le caveau ?

— Bien sûr...

J'hésite à formuler les autres questions, parce que je réalise qu'elles vont jeter le merdier dans la strasse.

— Madame Carotier, je vous demande de bien réfléchir et de me répondre avec précision... Vous étiez aux funérailles de madame Viaud mère ?

— Certainement.

— Au moment de l'inhumation, on n'a pas remarqué... Enfin, il n'est rien apparu d'insolite dans le caveau ?

Elle écarquille des orifices commak et son gros podagre en oublie de renauder.

— Comment cela, insolite ?

— Je veux dire, le cercueil de votre premier mari se trouvait toujours à sa place ?

— Mais... bien sûr, quelle question !

Je fais marche arrière...

— Bon. Autre chose, vous possédiez bien une voiture, n'est-ce pas ?

— Oui, une Renault.

— Pouvez-vous me dire ce qu'est devenu ce véhicule ?

Elle hausse les épaules.

— A vrai dire, je n'en sais rien... Vous savez qu'on ne pouvait utiliser les autos particulières pendant la guerre, faute d'essence ?

— Je sais...

— La Renault était remisée dans un hangar que nous avions à l'orée de la ville... Je ne m'y rendais presque jamais... Un jour, j'ai constaté que la voiture ne s'y trouvait plus...

— Et qu'avez-vous fait ?

— Rien.

J'ouvre les gobilles.

— Comment, rien ? Pourtant il s'agissait d'un vol !

Elle soupire.

— Voyez-vous, monsieur, quand on est la

femme d'un espion fusillé pour intelligences avec l'ennemi, on n'a guère envie d'aller déposer une plainte à la police pour le vol d'une voiture qui ne peut par ailleurs vous servir !

Elle a raison... Je pige le dilemme.

— Vous n'avez jamais entendu reparler de l'auto ?

— Jamais !

Je me mets à réfléchir. Par une large fenêtre, on découvre le lac. La pluie a brusquement cessé et un pâle soleil s'essaie sur les eaux bleues. Ce paysage est très beau. Carotier soulève le couvercle de la marmite dans laquelle le bœuf commence à se figer.

— Continuez votre repas, dis-je, je n'en ai plus pour longtemps à vous importuner.

— Y a pas de mal, dit le gros. Vous buvez un coup avec nous ?

C'est offert de bon cœur et j'accepte. Son picrate a un goût de vinaigre qui ranimerait un noyé de huit jours. Je le déclare exquis.

— Madame Carotier, après l'arrestation de votre mari, avez-vous jamais reçu la visite de gens... heu... avec qui il travaillait ?

Elle hésite et regarde son second étalon. Le débiteur de viande morte vide son godet.

— Encore un que les Boches n'auront pas ! assure-t-il ostensiblement.

M'est avis que sa bourgeoise ne doit pas l'avoir chouette avec cézigue. Il lui fait payer chérot les couenneries du Viaud, le boucher !

— Répondez-moi, c'est très important...

Elle me trouve gentil pour un poulardin et ça l'encourage.

— Je n'ai pas eu de... visites avant l'invasion... A ce moment-là, des officiers allemands sont venus à la maison...

— Que voulaient-ils ?

— Savoir le nom des policiers qui avaient arrêté mon mari.

Il se fait une légère lueur en moi.

— Et vous le saviez ?

— Non... Ce sont des pompiers qui...

— Je sais...

— Ils ont gardé mon mari à vue en attendant l'arrivée des gardiens de la paix... Ceux-ci ont emmené mon mari au commissariat et puis voilà...

— C'est ce que vous avez répondu aux Allemands ?

— Oui...

— Et depuis ?

— Je n'ai jamais plus entendu parler de rien...

Je crois que ma visite a assez duré. Je lève mes

quatre-vingts kilos de charge utile et je repousse la chaise sous la nappe.

Mais les deux rentiers ne me laissent pas évacuer leur territoire de la sorte.

— Qu'est-ce qui se passe ? s'inquiète Carotier. Il y a du nouveau ?

— Non, toujours de l'ancien... C'est la voiture volée qui remet tout en question...

— Vous l'avez retrouvée ?

— Oui : en Seine-et-Oise... C'est bête, hein ?

— Les voleurs sont arrêtés ? demande la dame Carotier.

— Non... l'auto était abandonnée.

J'hésite à parler du contenu macabre. Réflexion faite, je m'abstiens. C'est pas la peine de flanquer un fantôme dans l'intimité de ces braves gens. Ils l'ont eu assez saumâtre comme ça.

Je leur serre la louche et je vais rejoindre ma pauvre Nicolette. Pas bileuse, la secrétaire d'Heiffimowitchi cueille de la violette toute fraîche sur le talus...

— Alors, chérie, ça te plaît, la Savoie ?

— C'est merveilleux !

Nous cherchons un petit restaurant au bord du lac. Une vieille ratatinée nous confectionne une omelette toute aux œufs et nous propose un fromage tout au lait... Repas frugal, mais dont on ne peut nier qu'il est sain.

La Nicole de mes rêves émet le désir de faire une promenade en barque sur le lac... Mais j'ai toujours trouvé idiot de tirer sur une paire de rames. Moi, je n'aime piloter que les véhicules qui vous conduisent quelque part. J'ai horreur des circuits en terrain clos.

— Les barques sont pleines de flotte, chérie, avec tout le bonheur qui a dégringolé ce matin... Viens, je vais te faire le coup du muguet princier...

Je l'entraîne dans le bois, derrière l'auberge... C'est plein de rondins empilés. Je lui fais une pastorale qui la comble de félicité et d'aiguillettes de pins.

S'aimer en regardant un tel paysage, c'est une aventure, croyez-moi. Ce lac, vous parlez d'une salle de bains ! Quand nous avons achevé de faire travailler nos deltoïdes, nous découvrons un brave homme de bûcheron tranquillement assis sur une souche à quinze mètres de nous. Il casse la croûte en se taillant des morcifs de brignolet gros comme le poing. Notre démonstration ne l'a pas affecté outre mesure. Nicole se sauve en poussant des cris d'orfèvre. Moi, pas trop démonté, je me contente d'adresser à notre téléspectateur un salut courtois. Ce salut qu'ont

les acteurs après la grande tirade du trois. Il me
répond par un hochement de tête aimable.

— Ça va ? me crie-t-il.

— Pff ! fais-je, ça va, ça vient !

ASTICOT'S HOUSE

Comme Voiron se situe entre Aiguebelette et Grenoble, je m'arrête au cimetière de la petite ville en rentrant.

— Tu as encore un client à voir ? ironise Nicole en me voyant stopper devant le club des allongés.

— Oui, dis-je. Un client auquel je veux faire une petite concession.

Elle soupire.

— Je croyais que c'était une escapade amoureuse, en réalité c'est un voyage d'affaires !

Je me renfrogne. Si la donzelle ramène sa fraise, je vais me déguiser en mufle avant longtemps !

Sans répondre, je franchis le portail ouvert à double battant. Justement y a enterrement dans le patelin. Le cimetière est envahi par ce que les journaleux appellent une foule nombreuse. Une boîte en sapin est déposée au bord d'une tombe ouverte et un peigne-cul aux subjonctifs défaillants fait le panégyrique de son occupant. C'est la grosse vente réclame de salades saisonnières... L'instant bref et inévitable où le disparu passe pour un saint. On profite de ce que les assistants ont le traczir de la grande faucheuse pour déverser de l'épithète choisie avec un camion-benne. Après, chacun regagnera son chez-soi, son bistrot, son pied-à-terre, ses habitudes et recommencera à se dire que l'enterré de frais n'était après tout qu'un puant et un va-de-la-gueule, un pauvre mec, un vicelard et que ça lui fait les pinceaux d'être canné après avoir passé des lustres à faire pleurer les noix de ses contemporains !

Je me file en queue de cortège. Le bonimenteur a des trémolos sous la menteuse et les dames de l'assistance reniflent comme tout un groupe scolaire en février.

Le gars déballe des choses immortelles sur un nommé Céleste Courtecuisse que je présume être le défunt. Il bave en sélectionnant les qualificatifs, en faisant accorder les participes, mais en jonglant avec les verbes. Il débloque comme quoi le Céleste Courtecuisse était président de l'Œuvre des Farines lactées aux vieillards nécessiteux ; vice-président de celle des unijambistes à la montagne ; trésorier de la Société pour l'eau chaude obligatoire dans les aquariums et enfin vice-secrétaire général adjoint d'honneur de l'Amicale des anciens du Train des équipages de la Flotte de Voiron. Un personnage ! Mieux : une personnalité ! Pour nous résumer, un cocu quelconque qui, comme tous les bipèdes de la planète, a passé sa petite vie furtive à s'enrubanner d'honneurs puérils !

J'attends que le bavocheur ait fini de passer la brosse à reluire sur le cercueil. On dirait un commissaire-priseur vantant la came qu'il doit brader ! Mais il n'y a que la mort qui soit preneur ! Une fois, deux fois, trois fois ! Adjugé !

Enfin, c'est fini. Le maître de cérémonie offre une tournée générale de goupillon, puis les assistants s'évacuent par la sortie des artistes... La représentation est terminée. Ils s'en vont vers la chaleur, la lumière, l'amour, la becquetance... Vers la vie !

Les deux fossoyeurs se crachent dans les paluches et se mettent à descendre le cercueil dans le caveau des Courtecuisse. J'attends patiemment, à l'écart. Lorsqu'ils émergent du pied-à-terre, je m'approche d'eux.

Ce sont deux solides poivrots dont les nez

n'attendent qu'un coup de peau de chamois pour servir de feu rouge.

— Dites-moi, mes braves, j'ai besoin de vous.

Ils me détronchent sans enthousiasme. Ils ont des casquettes crasseuses, des futals de velours pleins de glaise et de la corne aux pattes. Mon intrusion les agace d'autant plus que la famille de leur petit dernier vient certainement de leur allonger un petit bouquet et qu'ils ont hâte d'avoir achevé le turbin pour écluser le pactole. Tous les pourliches que ces deux bons mecs enfouillent doivent être rapidement convertis en boissons fermentées.

— De nous ? grogne le plus vieux en essuyant d'un coup de coude son front emperlé de sueur.

Je leur mets mon insigne sous le nez.

Ils sursautent :

— Police !

— Oui... Je cherche le caveau de la famille Viaud !

— Y a beaucoup de Viaud dans le pays...

— Celle du fusillé !

— Ah bon... Alors, c'est la deuxième allée, près du mausolée de l'abbé Rétro !

Maintenant le plus duraille reste à formuler.

— C'est pas le tout, mes enfants, il va falloir me l'ouvrir.

Ils se regardent d'un œil incertain, puis se tournent vers moi.

— Vous l'ouvrir ?

— Oui...

— Mais... Et les papiers... On n'ouvre pas un caveau sans autorisation, c'est pas une boîte à sardines !

Ça va être coton de les décider...

Je leur montre ma carte.

— Lisez-la attentivement, vous verrez que je suis commissaire spécial. J'ai donc le droit de vous demander ça... En tout cas, je prends la chose sous mon bonnet...

Ma fonction les impressionne, mais ce que je leur demande les impressionne plus encore.

— Jamais on..., commence le plus jeune.

Je tire mon portefeuille.

— Bien entendu, il n'est pas question que vous travailliez pour la peau. Je suis chargé de vous régler vos frais...

Je sors un billet de cinq raides. Ça les éblouit et ils ont une espèce de soupir rentré.

Le plus vieux se gratte l'oreille.

— Si vous nous signiez une décharge, dit-il, on pourrait peut-être s'entendre...

— Évidemment !

Je prends une feuille à mon carnet mobile et je calligraphie un papier que je date et signe. Ils l'épellent. Le plus vieux hoche la tête, plie le document en quatre, le billet de cinq sacs en deux et glisse le tout dans son porte-monnaie.

— Bien, m'sieur le commissaire. On est à vous...

*
* *

Ils ne mettent pas longtemps pour desceller la pierre du caveau. Le ciment est effrité et c'est un jeu que de faire sauter ce qui reste.

Une bouffée glacée me fouette le visage. Ça pue le froid, la mort et le bois pourri.

Je m'agenouille dans la terre boueuse et je me laisse glisser chez les Viaud.

— Vous y voyez assez? s'inquiète l'un des terrassiers.

— Oui, ça va...

Il y a quatre cercueils sur des étagères de ciment. Les dimensions de l'un me font penser qu'il s'agit d'un nouveau-né, un autre est plus récent, si j'en juge à l'état du bois...

Celui d'Auguste Viaud ne peut donc qu'être l'un des deux autres... J'examine attentivement ceux-ci... Et je m'aperçois que les vis fermant celui de droite s'enlèvent facilement. Je déboulonne rapidement et je soulève le couvercle. A l'intérieur de la boîte capitonnée, je ne trouve qu'un oreiller et un drap moisi.

C'est bien ce que je pensais : on a bel et bien embarqué la carcasse du fusillé.

Je rabats le couvercle. Les gueules des deux fossoyeurs s'encadrent dans le rectangle de lumière.

— Il est vide, hein ? fait l'un d'eux.

— Oui...

— On a embarqué le cadavre ?

— A moins qu'il n'ait éprouvé le besoin d'aller se promener ?

Ils se marrent comme deux baleines à un film de Charlot. Ces gens-là vivent avec les morts et les trépassés ne les impressionnent plus depuis belle lurette. Ce sont des compagnons silencieux d'un commerce somme toute agréable.

Je m'apprête à remonter, mais je sens quelque chose de rond sous mes pieds. Je me baisse pour voir de quoi il s'agit. Au fond du trou, l'obscurité est totale. Je gratte une allouf et, à la lueur bondissante de la flamme, j'aperçois une montre.

C'est une montrouze de gousset, en argent... Le bon oignon de nos pères... Le verre est cassé, les aiguilles tordues, le cadran rouillé. A la boucle au-dessus du remontoir, un morceau de chaîne est encore agrafé.

— Qu'est-ce que c'est ? s'inquiètent les massacreurs de taupinières.

Je glisse l'objet dans ma profonde.

— Rien...

Ils n'insistent pas, me tendent la main et me hissent hors du trou.

Je me trouve nez à nez avec Nicole qui vient d'entrer dans le cimetière, trouvant sans doute le temps un peu long. Elle ouvre grands les yeux, la bouche et, d'une façon générale, la plupart de ses orifices.

— Mais ! Mais ! bêle-t-elle.

Je frotte mes fringues boueuses.

— Merci, les gars, dis-je aux fossoyeurs. A la revoyure !

Je saisis le bras de Nicole. Je dois renifler le cadavre car elle a un mouvement de recul.

— Enfin ! s'écrie-t-elle quand nous parvenons à la voiture. Pourras-tu m'expliquer ?...

— J'ai toujours rêvé d'avoir un petit trou pas cher, dis-je, comme il y en avait un à vendre, j'ai visité... La situation est belle, la vue imprenable et on y trouve un certain confort, mais c'est vraiment trop humide !

Cette fois, elle ne trouve pas ça drôle et des larmes lui viennent aux yeux.

Alors je lui fais voir ma carte à elle aussi.

— Tu es de la police ?

— Oui, excuse-moi...

— Et tu as une enquête à faire dans le pays ?

— Dix sur dix, tu as trouvé !

Elle se tortille sur ma banquette.

— Mais c'est merveilleux !

— Tu trouves ?

Du coup, je suis le héros. Quelque chose comme Gary Cooper dans *Penses-tu, shérif !* Oubliant la désagréable odeur dont mes frusques sont imprégnés, la belle se met à roucouler sur mon épaule.

— Si je m'attendais à ça, gazouille-t-elle. Ah ! par exemple. Mais, dis-moi, que faisais-tu dans ce tombeau ?

— J'étais venu voir un ami, mais par manque de pot je ne l'ai pas trouvé : il a déménagé.

AVEC UN « C... »
COMME VOUS !

Fort heureusement, je me suis muni d'un futal de rechange, ce qui me permet, de retour à l'hôtel, de reprendre un aspect civilisé.

J'ai, en cours de route, dû satisfaire la curiosité de Nicole et lui raconter l'histoire du mort en bagnole par le menu. Elle en est transportée, la souris... Du coup, elle ne pense plus à se faire reluire ! Les questions pleuvent drues ! J'en ai les oreilles rebattues.

A la fin, je lui demande d'y mettre une sourdine afin de me laisser gamberger mon chien de soûl. Le moment me paraît venu de faire l'une de ces mises au point sans lesquelles on n'arrive à rien de positif dans mon métier à la gomme.

Je m'empare d'un stylo à bille et d'un morceau de papier blanc tapissant le tiroir de ma table de nuit. J'écris :

1) Auto abandonnée près de chez Fernand.

a) Elle contient le cadavre de Viaud.

b) Elle appartenait à Viaud.

c) Elle avait été volée après l'exécution de celui-ci.

2) Femme de Viaud.

a) A su que l'auto avait disparu mais, à tort ou à raison, n'a pas porté plainte.

b) S'est remariée avec un cornichon.

c) A reçu la visite d'officiers allemands qui lui ont demandé les noms des policiers ayant appréhendé son espion de mari.

3) Tombe de Viaud.

a) On y a « volé » le corps du fusillé.

b) L'un des ravisseurs a vraisemblablement perdu sa montre au cours de l'enlèvement.

Je vais prendre le bijou dans la poche de mon costar souillé. Oui, c'est sans aucun doute l'un des profanateurs de tombeaux qui l'a perdue. Lorsqu'il a sauté dans la fosse, sa montre est sortie de son gousset et lorsqu'il a fait un rétablissement pour en remonter, l'objet s'est coincé entre lui et la paroi et la chaînette qui le tenait s'est rompue.

Je tourne le bijou entre mes doigts. J'ouvre avec peine le boîtier et, sur la face interne, je constate que des mots y sont gravés.

Je lis cette émouvante dédicace :

*A mon cher Jean
sa petite « C »*

Voilà qui présente un intérêt certain, y a pas de doute. Nicole, qui en a classe de jouer la Muette, s'approche.

— Alors, mon loup, où en es-tu ?

Je ne sais pas si vous êtes comme moi, mais une chose me cavale sur le Saint-Fiacre, c'est bien cette manie qu'ont les pétasses de vous affubler de petits noms crétins.

Déjà qu'elles vous rendent ridicules en jouant au sifflet dans la tirelire avec votre meilleur pote ou avec le livreur de l'épicemar ! Mon loup ! tu te rends compte, vicomte ?

— Écrase, chérie, avec tes carnassiers !

Outragée, elle empoigne le *Marie-Claire* de service et disparaît dans un fauteuil. Moi, je reprends un à un les éléments que je viens de noter. Chacun contient en soi une signification à dégager. Au boulot, mon pote !

Bon : la bagnole. Ce qui compte, ça n'est pas qu'elle contienne le corps de l'espion, c'est qu'on se soit servi d'elle pour véhiculer le cadavre, vous reniflez le distinguo avec votre nez bouché et votre vue basse ?

Qu'on ait volé l'auto, ça pouvait être une chose. Qu'on ait kidnappé le défunt, ça pouvait en être une autre. Mais que l'enlèvement du second ait eu lieu avec la première, c'est ça le monumental point d'interrogation. Ça m'inciterait à croire que le rapt du cadavre a été accompli par un intime ! Poussons le raisonnement : oh ! hisse.

Nous avons une alternative concernant la date de l'enlèvement. Celui-ci a eu lieu : soit avant l'invasion allemande, soit après ! La Palisse n'aurait pas de conclusion plus pertinente. Seulement, s'il a eu lieu *après*, il faudrait admettre que l'auto avait un permis de circuler puisque les véhicules à essence ne pouvaient circuler sans autorisation.

Fiévreusement, j'écris sur une feuille de carnet :

« Vérifier dans archives préfectorales si l'auto de Viaud a eu un permis de circuler temporaire après la défaite. »

J'arrive à la veuve maintenant. Qu'elle n'ait pas porté plainte après avoir constaté le vol de l'auto se conçoit en partie, elle m'a fourni une explication qui est très valable. Mais ignorait-elle qu'elle était civilement responsable du véhicule lui appartenant ? Si la guinde occasionnait un sinistre quelconque, c'était elle qui l'avait dans le baigneur ! A notre époque, personne n'ignore ça... Alors ?

Je reste sur mon point d'interrogation.

Qu'elle se soit remariée avec un bon gros louchebem m'inclinerait à la croire lavée de tout soupçon. C'est la réaction logique d'une personne honnête qui veut se laver de l'opprobre...

Je continue à inventorier ma liste. Ah ! oui : la visite des sulfatés. Ça peut être la clef de toute l'affaire. Pourquoi voulaient-ils savoir les noms des flics ayant arrêté le premier mari de la mère Carotier ? Parce que Viaud avait quelque chose ou un secret en sa possession et qu'ils voulaient rentrer en possession dudit quelque chose. Pourquoi n'ont-ils pas questionné la veuve ni fouillé l'appartement ? Pourquoi lui demander les noms des poulets, comme si une personne qu'on arrête se préoccupait de l'état civil de ceux qui lui passent le cabriolet ! Gros mystère, mes frères ! Si je pouvais l'élucider, je ferais un pas de géant dans ce paquet de cirage !

Je me lève et fais quelques pas en rond dans la piaule. Miss Production de navets me considère avec anxiété. Elle n'ose m'interroger. C'est moi qui parle. Pas pour l'affranchir, je m'en moque qu'elle clabote de curiosité, mais pour m'entendre énoncer des mots précis.

« Je dois moi aussi retrouver ces flics puisque les chleuhs voulaient leur parler ! »

Je passe ma veste.

— On sort ?

— Non, « je » sors ; toi, tu m'attends là...

Elle rouscaille :

— Eh bien ! heureusement que je ne suis pas mariée avec toi ! Tu as une façon de traiter les femmes !

Je m'approche d'elle et lui mets une grosse caresse sur l'armoire normande.

— Te plains pas, Nicole, tu peux même te vanter d'avoir droit au régime de faveur !

L'ÉPOQUE ÉPIQUE !

Au moment où je franchis la porte du commissariat, on y amène justement un malabar complètement chlass qui crie « mort aux vaches » avec une surprenante voix de basse noble.

Les petits camarades de la maison poulman essaient de lui faire changer d'avis en lui balanstiquant des grands coups de chaussettes à clous dans la partie de sa géographie qu'il dépose ordinairement sur une chaise. Mais le gros truand se moque des gnons et continue de clamer sa façon de penser.

L'arrivée d'un quidam en pareille conjoncture indispose toujours les archers de chez Plumeau.

Un brigadoche à moustaches me saute sur le derme.

— Qu'c'qu'v'v'lez ? barrit-il.

Comme il a proféré cette phrase déshydratée

sur le mode interrogateur, ma politesse prover-
biale m'oblige censément d'y fournir une
réponse.

— J'v'voir l'com'saire ! riposté-je.

Il bouge l'oreille droite à la façon des lapins.

— Quoi ?

— J'v'voir l'com'saire ! répété-je.

— Le commissaire ? C'est à quel sujet ?

— J'ai perdu ma vertu et comme ça ne fait
pas un an et un jour, je viens voir si personne ne
la lui aurait rapportée !

Il manque en mourir. Son visage pénible
tourne au violet. Ses hommes froncent les sourcils tant et si bien que leurs regards ne forment
plus qu'un trait continu. Le gros malabar se fend
l'ecchymose.

— V'lez m'ain sr'la gueule ? s'informe le
brigadier d'une voix expirante.

Je lui adresse un sourire désarmant.

— Pas la peine, j'emploie toujours Cadum,
autrement je choperais des boutons. J'ai la peau
délicate !

La horde des bourdilles m'encercle lorsque je
dévoile mon identité. Du coup, changement à
vue, comme sur une scène tournante.

On se croirait au Châtelet. Ces messieurs les
marchands de ramponneaux deviennent miel-
leux comme des sucettes.

— On prévient monsieur le commissaire, m'sieur le commissaire ! m'avertit un sous-brigadier dont le visage est un cran plus expressif que celui des autres.

Quatre secondes trois dixièmes plus tard, je franchis le seuil d'une pièce administrative dans laquelle un homme jeune, blond et élégant, signe des paperasses.

Il se lève.

— Vous êtes commissaire ?

Je lui téléphone ma carte.

— San-Antonio ! C'est pas possible !

Du coup, je respire. Ça fait plaisir d'être connu et reconnu ! Du reste, il n'y a que les gens connus qui sont reconnus ; c'est connu (1).

— Asseyez-vous, s'empresse-t-il. J'ai tellement entendu parler de vous ! Alors, c'est vous ?

Quand je rencontre quelqu'un qui m'admire, je regrette toujours de ne pas être en or ou de n'avoir pas inventé la pénicilline afin de justifier cette admiration.

— C'est moi, conviens-je. Et, franchement,

(1) Une phrase aussi originale dans sa sobriété n'administre-t-elle pas la preuve que l'auteur est en pleine possession de sa langue ? Ne montre-t-elle point que ledit auteur contrôle son style comme un employé de la R.A.T.P. contrôle les billets de première lorsqu'il porte une casquette adéquate.

mon vieux, y a pas de quoi péter une pendule !

Il rit.

— Cigare ?

Il me tend une boîte de hollandais. Je puise dedans.

— Par quel hasard ? attaque-t-il.

— Ce n'est pas un hasard, coupé-je. En tout cas, pas un hasard du premier degré ! J'ai besoin de vous, mon cher collègue.

Il remue du valseur.

— Mais je vous en prie, vous pouvez disposer de moi.

Il a un regard bleu, noyé par l'émotion, mais reflétant une intelligence certaine.

— Je vais vous raconter une histoire à la Edgar Poe, attaqué-je. Après que vous l'aurez avalée, vous verrez ce que vous pouvez faire pour m'aider.

Il se farcit la sixième dernière des péripéties précédentes. Quand je la boucle, il se dresse.

— Je vois très bien à quel point de l'aventure je dois me manifester, dit-il, c'est à l'arrestation de Viaud, n'est-ce pas ?

— Exactement.

— Évidemment, il est inutile de vous préciser que j'étais presque en culottes courtes à cette époque et que, personnellement, je ne sais rien de positif, mais j'ai ici un gardien de la paix qui appartenait déjà à mon commissariat en 39.

Il appelle :

— Bazin !

L'endoffé avec qui j'ai eu la prise de bec de l'arrivée se pointe, troublé comme un pastis qui a reçu la pluie.

— Monsieur le commissaire ?

— Fermez la porte !

L'autre obtempère, le petit doigt sur la couture décousue de son pantalon.

— Vous étiez bien ici en 39, n'est-ce pas, Bazin ?

L'interpellé acquiesce.

— Vous rappelez-vous de l'arrestation d'un certain Auguste Viaud qui fut par la suite fusillé pour intelligences avec l'ennemi en temps de guerre ?

— Si que je m'en souviens ! tonitrue cette émouvante émanation du gâtisme. C'est moi que j'suis t'été l'appréhender avec Mathieu qu'est z'aux mœurs à Lyon, maintenant !

Je soupire d'aise. Allons, ça continue à tourner rond.

— Racontez-moi un peu comment ça s'est passé, fais-je. Je suis très heureux, mon cher ami, de tomber sur un garçon compétent !

Mon collègue, le jeune commissaire, réprime

un sourire complice cependant que le Bazin se croit obligé d'amidonner ses baffies au jus de chique.

— Les pompiers, commence-t-il, avaient z'été t'alertés par un n'habitant de l'immeuble sis 7 boulevard Rey... Ce susdit ayant z'ouï un bruit suspect avait cru z'à un début d'incendie dans les greniers. Mais lorsque les pompiers n'arrivèrent, ils se trouvèrent z'en présence d'un homme occupé à manutentionner un appareil distributeur d'ondes courtes !

Il se tait, met à l'alignement un poil rebelle de sa bacchante et contrôle le petit cinéma de sa mémoire. De toute évidence, il ne raconte pas une scène, mais récite un rapport !

Il enchaîne après s'être humecté les limaces d'un coup de langue de rouleur de cigarettes.

— Stupéfaits t'à juste titre, les pompiers nous téléphonâmes...

Je me dis que son passé simple n'est pas aussi simple qu'on le prétend. Il passe outre la grammaire et poursuit, vraiment lancé et émoustillé par cet auditoire de choix.

— Le commissaire z'en fonction t'à l'époque, un certain Laurent, nous ordonna z'à Mathieu z'et à moi-même, Bazin Émile, de nous rendre à l'adresse sus-indiquée et nous découvrèrent dans le grenier de Viaud Auguste une organisation complète de distributeur d'ondes courtes. Sans hésitation z'aucune. Mathieu z'et moi-même mirent la main t'au collet de l'individu et l'amenèrent incontinent dans la pièce z'où z'on se trouve présentement.

De la sueur perle sous son képi. Il a passé un pouce blasé dans sa ceinture et il est devenu d'un beau rouge apoplectique.

— Et z'après ? je demande.

— Le commissaire Laurent procéda t'à l'interrogatoire du suspect et le déféra z'au tribunal militaire...

— Cet interrogatoire...

— Oui ?

— Il a eu lieu en privé ?

— Comment ça ?

— Personne n'y a assisté ?

— Si...

— Qui ?

— Le commissaire et Viaud !

Ce qu'il faut de patience dans notre job ! Mon collègue pianote son buvard avec nervosité. Il aimerait pouvoir filer une tarte au brigadoche, histoire de dissiper un peu du brouillard qui flotte dans les régions désertiques de son cerveau.

— Personne d'autre ? insisté-je. Juste les deux ?

— Juste !

— Bon ! Et ensuite, il a été déféré aux autorités militaires ?

— Oui.

— Dites-moi, lorsque Viaud a été arrêté, il ne vous a rien dit ?

— Non... Il semblait péteux...

Le brigadier se reprend :

— Je veux dire couillonné !

— Il ne vous a pas demandé la permission d'adresser un message à quelqu'un ou de...

Je lis de la stupeur et de l'admiration sur le faciès de mon interlocuteur.

— Ça alors ! Mais si... Comment que vous le savez ?

Mon collègue émet des « tsst, tsst, tsst » qui rappellent le flicard aux convenances.

— Au moment où qu'on est sorti de l'immeuble, dit-il, il a demandé la permission de se changer... Il était en pantalon et n'en veste d'intérieur...

— Vous lui avez accordé cette permission ?

— Non.

— Et le commissaire ?

— Non plus... Quand les soldats sont venus, il était toujours t'habillé de la même manière...

Je me recueille.

— Bien, il a été jugé et fusillé...

— C'était pain bénit ! décrète le brigadier, se croyant autorisé à manifester une opinion pertinente.

— Vous dites ?

— C'était bien fait pour ses pieds !

— Je le crois, en effet ! Quelques mois plus tard, il y a eu l'invasion allemande... Vous n'avez pas reçu la visite d'officiers boches qui vous auraient posé des questions au sujet de Viaud ?

Une fois encore, je lui semble un surhomme, comme le gars qui enlevait son œil de verre pour épater une tribu nègre.

— Mais si !

— Et que vous ont-ils demandé ?

— A moi rien... Mais au secrétaire de police... Ils voulaient les noms de ceusses qui avaient arrêté Viaud !

— Et le secrétaire les leur a donnés ?

— Non, le commissaire Laurent, après que le tribunal militaire soit venu chercher l'espion, nous a dit d'oublier l'incendie !

— Quel incendie ?

Bazin réfléchit, tripatouille son vocabulaire.

— Je veux dire l'incident !

— Et pourquoi ?

— Il a dit comme ça que ces histoires d'espion

ne regardaient pas la police et qu'elles pouvaient que nous attirer par la suite...

Je bondis :

— Ça se passait en 39 ! Et il a dit « par la suite » ?

— Oui...

Le successeur du bonhomme n'en revient pas non plus.

— Voilà qui est surprenant, balbutie-t-il.

— Alors, déclare le brigadier. on a obéi. Et on s'en est bien trouvé puisque ça nous a évité des ennuis, hein ?

— Le commissaire Laurent était présent au moment où ces officiers allemands vinrent ici ?

Il écarquille les chasses.

— Comment, vous ne savez pas ?

Que j'ignore cela, moi qui viens d'étaler tant de détails secrets, le démonte et ébranle sa foi naissante en mes dons de visionnaire.

— Le commissaire Laurent est mort le lendemain de l'arrestation de Viaud !

FAITES MONTER LA BIÈRE !

Quand Napoléon attend Grouchy et que Blü-cher se la radine, la gueule enfarinée, avec ses boy-scouts ! Quand vous préparez le porto pour accueillir votre douce amie et que c'est l'huissier qui carillonne à la lourde pour éponger votre grisbi, Napoléon et vous-même êtes un peu décontenancés... En l'occurrence, je le suis tout autant !

Cette affaire éclate dans ma vie comme une bombe atomique miniature, dévoilant au fur et à mesure qu'elle s'étale, des réactions en chaîne.

C'est harmonieux comme une dégringolade de dominos. Untel vous branche sur Machin, qui vous adresse sur Chose, qui vous aiguille sur Truc ! Du nougat ! La mère Carotier, après m'avoir mis sur la piste du commissariat et amené à connaître le surprenant Bazin, me conduit par ce chemin détourné à un nouveau mort ! Le commissaire Laurent !

Voilà un confrère dont la vie et surtout la mort m'intéressent ! Son histoire (sa dernière, du moins) est peu banale. Un jour, on amène *sans qu'il s'y attende* (j'insiste) un homme trouvé en train de passer des messages radio. Il a une conversation avec le suspect et le défère aux autorités militaires. Ensuite, il demande à ses hommes d'oublier l'incendie (pardon, l'incident) et meurt le lendemain.

Après ça, si vous y pigez quelque chose, c'est qu'on a installé une pile électronique dans votre slip ou que vous êtes branché sur les ondes courtes !

Mon collègue résume la situation par un mot judicieux :

— Inouï !

— Il est mort comment, votre commissaire Laurent ?

— On n'a jamais su !

— Enfin, de quoi est-il mort ? D'une angine couenneuse ou de la gale du pain ?

— D'un accident de la circulation... On a retrouvé son corps sur z'un quai : fracture du crâne... On suppose qu'il a t'été renversé par z'un chauffard !

— Pas de témoin ?

— Il l'a z'été de nuit et l'endroit est très désert...

— Comme Gobi ?

— Je ne le connais pas, avoue Bazin dont mes jeux de mots de carabin n'entament pas la croûte.

— Il était marié ?

— Non...

Il a soudain l'œil qui frétille comme une tranche de lard dans une poêle chauffée.

— Mais il avait z'une liaison !

— J'espère qu'elle était moins dangereuse que les vôtres, risqué-je, plus pour faire sourire mon collègue que pour tâter l'intellect du gars.

Il le prend mal.

— M'sieur l' commissaire, s'étrangle-t-il, je suis marié, père de trois enfants dont l'aîné est instituteur, et je n'ai jamais eu de liaisons, madame Bazin étant une épouse irréprochable !

Je lève les bras :

— On se fout de votre vie privée, mon vieux ! A vous voir on devine ce qu'elle peut être !

— Ah ! bon, excuse...

— Vous avez connu la pétasse du commissaire Laurent ?

— Oui... A venait le chercher jusque z'ici vu qu'elle était encline à la jalousie... Un commissaire, vous z'allez dire, c'est pas convenable de se donner en spectre à ses subordonnés !

— Comment s'appelait la dame ?

Il bafouille :

— On y disait Charlotte manière de rigoler vu que c'était son petit nom... Une grande rouquine, forte comme une jument !

— Elle vit toujours ?

— Je l'ai encore rencontrée hier...

— Son adresse ?

— Je la sais pas, mais elle est caissière à la Grande Brasserie Dauphinoise...

— *O. K...* Merci, brigadier, vous avez bien mérité de la patrie !

Il en profite pour saluer militairement. Ses talons font vibrer le plancher vermoulu. Il s'évacue.

Je demeure en tête à tête avec mon confrère.

— Ça n'est pas un génie, évidemment, murmure ce dernier en désignant la lourde d'un hochement de tête.

Je hausse les épaules.

— Si c'était un génie, il ne serait pas dans les gardiens de la paix, mon cher ami !

Nous éclatons de rire l'un et l'autre.

— L'affaire est vraiment curieuse, hein ? demande mon vis-à-vis, lequel se nomme Forestier si j'en crois le carton placardé à sa porte.

— Très... Je suis persuadé qu'au moment de son arrestation, Viaud détenait une chose importante qu'il n'a pu dissimuler, qu'il a remise à Laurent et qui a coûté la vie à ce dernier...

Bonté ! tout ça est confus et on ne sait plus par quel bout choper l'affaire !

L'horloge du burlingue égrène six coups. Je me mets à penser à la pauvre Nicole qui se morfond dans la chambre d'hôtel... Elle s'en souviendra de ces vacances, la poulette ! Pas de sitôt qu'elle moulera les burlingues d'Heiffimo-witchi (le premier producteur français, à droite en sortant de la gare de Varsovie), pour suivre un type qui a un physique engageant, la langue bien pendue et dont la main vadrouille dans des régions peu explorées de sa personne.

Je me lève.

— Merci pour votre concours, mon cher collègue !

— Trop heureux si ça a pu vous faire avancer dans vos investigations !

— Au plaisir...

Il me raccompagne jusque dans le poste de police où le brigadier est en train d'en filer plein la vue à ses troupiers.

Comme je sors, il me vient une idée.

— Oh, dites donc, Bazin !

— Oui, mon commissaire ?

— Comment se prénommait Laurent ?

— Jean !

— Vous en êtes certain ?

— J'ai z'une mémoire en faillite, mon commissaire ! affirme-t-il catégoriquement.

Je le regarde songeur. Je vous parie un comte d'empire contre un compte courant que la montre dénichée dans le caveau des Viaud...

Je puise le bijou disloqué dans ma poche et le propose à la sagacité du brigadier Bazin Émile.

— Avez-vous déjà aperçu ce bijou quelque part ?

Il n'hésite pas :

— Mais ! C'est l'oignon au commissaire Laurent ! Où que vous l'avez z'eu ?

Je ne prends pas la peine de répondre. Je file sous la flotte qui se remet à vaser. J'aime bien dénicher des éléments nouveaux dans une affaire, mais point trop n'en faut ; et en tout cas je tiens expressément à ce que ces éléments suivent les règles strictes de la logique. Or, que se passe-t-il dans le cas présent ? Hein, pouvez-vous me le dire, bande de ceci et cela !

Il se passe que Laurent qui a interrogé Viaud est mort *avant lui* et que, pourtant, je retrouve sa montre dans la tombe provisoire de Viaud !

Il se passe trop de trucs, flûte ! J'ai bien mérité

de boire un coup. Je peux toujours aller jusqu'à la brasserie Dauphinoise… ne serait-ce que pour me faire monter de la bière !

LA CAISSIÈRE
DU GRAND CAFÉ

Bonne ambiance à la brasserie Dauphinoise.

Moi qui ai horreur des grandes brasseries de Paname, j'affectionne les mêmes établissements en province. Ils valent leur pesant de dorures ! La faune qu'on y rencontre a la douceur, le pittoresque de la France. Un point, fermez le ban à cause des courants d'air !

Des étudiants des deux sexes y discutent gravement philosophie : les hommes en fumant des pipes de lords anglais, les filles ne s'étant pas lavées depuis trois mois. Des notables y disputent des tournois de manille, sans proférer plus de trois paroles chacun en dehors des nécessités du jeu. Les dames de petite vie et de gros fessiers y boivent des cafés express en tâchant de prendre l'air honnête, et les autres dames s'appliquant à les ignorer et à garder le petit doigt levé en buvant, ce qui, en province, a toujours été le signe d'une éducation bourgeoise.

Dans un coincteau, un prof esseulé corrige les copies en louchant sur les jambes d'une dame mûre... Un touriste anglais compulse une carte de la région et deux garçons pareils à des pingouins déplumés, tablier blanc, onze cheveux collés en travers du crâne comme des pare-soleil sur la vitre bombée d'une voiture panoramique, transportent des consommations de table en table, pareils à des infirmiers s'affairant dans la chambre d'un grand malade. Une tendre odeur d'encaustique, de sciure de bois et de bière flotte dans le vaste établissement.

Un pianiste s'escrime. Un grand type usé, myope et nostalgique qui doit donner des cours particuliers aux fils de commerçants de la région. Il joue : *Que ne t'ai-je connu au temps de ma jeunesse* avec presque de la dévotion.

Je m'installe près de la caisse. Un loufiat me demande à quelle boisson j'aspire et je lui réponds qu'un demi sans faux col fera mon affaire.

Lorsqu'il a tourné les talons, je file le méchant coup de périscope à la caissière.

Elle n'est plus de la première fraîcheur, Charlotte. La chevelure flamboyante grâce au minium des merlans, certes ; une matité de teint qui ne manque pas d'intérêt... Des lampions vert sombre, frangés de longs cils au bout desquels perlent des gringrignotes de rimel... Quelques chaises en *gold* sur le devant de sa salle à manger... Une paire de flotteurs qui sollicitent de votre haute bienveillance un petit coup de gonfleur... Dans l'ensemble, une confortable mousmé pour soirées de désœuvrement en voyage !

Je la tiens sous mon regard fascinant, mais mon fluide manque d'intensité because ma Wonder qui doit être en rade... Charlotte met un bout de moment à découvrir l'attention véhémente dont elle est l'objet de ma part... Je me file alors dans les vasistas tout ce que je suis capable de distiller comme « tu me plais, si tu me veux tu m'as ! »

Ces regards-là ne peuvent laisser une dame indifférente, fût-elle une banquise ! Or ça ne paraît pas être le cas de mon objectif. Au contraire, elle a le type de la passionnée, de celle qui porte la paille des chaises à l'incandescence et qui, au dodo, vous donne l'impression de suivre des cours de langues étrangères à l'école Berlitz.

Elle est très sensible à ce regard suave et y répond par des œillades en coulisse qui flanque-raient des vapeurs à un train électrique.

Je décide de passer un coup de grelot à la pauvre Nicole — une souris dans le genre de Pénélope, décidément, qui fait de la tapisserie en attendant le mec. Je vais lui dire d'aller se payer une toile, à cette mignonne. Qu'elle visionne par exemple l'une des superproductions de son patron, Heiffimowitchi, le plus grand producteur français (un mètre quatre-vingt-douze sous la toise !). Justement, on donne un de ses chefs-d'œuvre près d'ici : *Ma sœur aime le cresson,* avec Lola Monpèze dans le rôle de la sœur et Jean-Claude Pâques dans celui du cresson ! Le film qui a obtenu le grand premier prix du scénario sans point virgule au Festival d'Arnay-le-Duc ! La plus haute récompense décernée par le Comité des Prix de ceux qui n'ont pas eu le Prix et qui mettent le prix pour l'avoir... Je ne sais pas si vous voyez où je veux en venir...

Je vais à la caissière.

— Pardon, chère madame, me serait-il possible d'établir une communication téléphonique urbaine avec un abonné grenoblois ?

Elle me sourit.

— Mais certainement, monsieur... Par exemple, vous devrez parler d'ici car la cabine est en dérangement.

— C'est moi qui suis confus de vous en occasionner un.

Le jeu de mot, malgré son à-peu-près, la rend moite comme une soupe à l'oignon.

Je compose le bignou de mon hôtel et je demande le numéro de ma piaule. Le préposé me répond qu'il n'y a personne. Je dis que je suis l'un des locataires et il jubile en m'informant que « la personne qui m'accompagnait » vient de se faire conduire à la gare.

Je fronce les sourcils.

— Elle n'a rien dit ?

— Elle a laissé un message, monsieur.

— Pouvez-vous me le lire ?

Elle a dû le rédiger sur un papelard à l'air libre et le zigoto en pingouin s'est déjà farci le texte, je le devine à sa surexcitation.

Il cramponne le fameux message.

— *Les plaisanteries les plus courtes sont les meilleures*, lit-il. *Je retourne à Paris.* Signé : *Nicole*.

S'il croit que je vais me suspendre au lustre par mon fond de culotte, il en est pour sa fausse joie.

— Ouf ! dis-je. Je n'en n'espérais pas tant !

Là-dessus, je lui raccroche à bout portant dans l'étagère à mégots.

Libre ! C'est à l'intensité, à la qualité de ma

satisfaction que je mesure à quel point je suis peu fait pour le mariage.

Me voici maître de la situation, débarrassé de ce poids mort qu'est une femme.

Comme tous les hommes qui viennent de rompre une chaîne, je me dégrouille de m'en forger une nouvelle. La caissière me couve d'une prunelle veloutée et je sens qu'elle est à portée de mon coup de foudre. San-Antonio, mon grand, si tu sais manœuvrer, tu vas peut-être pouvoir te rencarder à bon compte, et sans t'embêter...

Je remercie la dame en douillant le montant de ma communication.

— Vous êtes de passage ? s'informe-t-elle avec courtoisie.

— Oui... Je suis dans le cinéma et je viens pour les productions Heiffimowitchi repérer des extérieurs !

Ça lui déracine le figuedé. Le Cinématographe ! Le Cinéma, le Ciné, le Cinoche ! Mot magique en plusieurs termes. Il ouvre toutes les portes et surtout tous les cœurs.

— Vous préparez un film dans notre ville ?

— C'est comme j'ai le plaisir de vous l'annoncer !

Elle décarre en rase-mottes avec un chargement de questions qui ne tiendrait pas dans un wagon de marchandises. Comment va s'appeler le film, qui en sera la vedette, le metteur en scène, etc.

Je laisse passer la salve. Puis j'y réponds :

— Ça va être le gros boum de la saison... L'histoire d'un ouvre-boîtes pendant la guerre ! On va tourner ça en Décalcomanie sur écran rotatif à protubérance accélérée... Une révolution dans le septième art ! Les spectateurs auront l'impression de ne pas être au cinéma... On leur remettra une tenue complète de scaphandrier à l'entrée ainsi qu'une pommade contre les brûlures radio-actives. L'Agagan Khan a accepté d'interpréter le rôle principal ; il sera déguisé en V 1 pendant la seconde moitié du film et c'est Line Renaud qui aura la vedette dans la troisième moitié. Jean Marais fera l'esquimau Gervais à l'entracte. Le chef-d'œuvre sortira en grande première à l'opéra de Vesoul, sous la présidence effective du garde-champêtre de Romanèche-Thorins ! On refusera du monde. Le prix des places sera fixé à la caisse et ultérieurement. On pourra louer l'originalité du sujet par téléphone. Eau chaude et froide... Bref, du nouveau, de la hardiesse !

Je me tais pour saliver. La caissière est pliée en deux sur son tiroir. Elle se bidonne (comme dirait Fellini).

C'est bon signe. Lorsque vous faites poiler une dame, vous êtes près d'obtenir d'elle l'opération inverse.

J'attends que son hilarité se soit calmée et je me livre illico aux manœuvres de printemps.

— Dites-moi, jolie petite madame... Que faites-vous le soir lorsque votre tiroir-caisse est plein ?

— Je rentre chez moi.

— Ôtez-moi d'un doute abominable : personne ne vous y attend ?

Elle cesse de rigoler. Un peu de mélancolie passe dans ses roberts.

— Hélas non...

— Vous n'allez pas me dire que les Grenoblois ne forment pas la haie sur votre passage ?

Ça la chiffonne, elle se demande si je me fous d'elle et me regarde avec inquiétude.

— Vous êtes le dernier établissement ouvert à Grenoble ?

— Oh non ! Nous fermons à minuit !

— Il y a des bars de nuit ?

— Oui : le *Dragon*, la *Cabane Andalouse*...

— On va y écluser une bouteille de champagne après votre service ?...

Au lieu de me répondre par trois lettres marquant l'approbation ou la négation, elle file un grand coup de périscope terrorisé autour

d'elle. L'un des loufiats la détronche à la déro-
bée d'un œil peu courtois. Il serait jalmince que
ça ne m'étonnerait pas.

Je lui file une regardée brutale chargée en
électrac. Il se consacre à ses clients.

— Alors, petite dame, c'est oui ?

Un conseil, en passant, les mecs. Lorsque
vous posez un ultimatum à une poutronne, ne
prononcez jamais le mot que vous ne voulez pas
l'entendre dire parce que, par un phénomène
étrange, c'est toujours celui-là qu'elle vous
allongera dans la poire.

— Ce ne serait pas raisonnable, gazouille la
rouquine.

Air connu !

Je m'encourage au calme.

— Vous trouvez que la vie est raisonnable,
vous ?

Elle me sort l'objection *number two* :

— Mais je ne vous connais pas !

— Moi non plus, ma chère amie, je ne vous
connais pas... Alors, vous le voyez, il faut que
nous fassions connaissance !

Re-cintrage de la donzelle qui en oublie
d'engranger les picaillons apportés par les ser-
veurs.

— Je ne voudrais pas que ça se sache, nous

habitons une petite ville où tout le monde se connaît et...

Chapitre trois : la réputation de madame !

Elle s'est p't-être servie de la population masculine de l'endroit comme d'un cataplasme, mais du moment que j'arrive d'ailleurs ça n'est pas convenable de se produire en ma compagnie.

— Vous tourmentez pas, mon lapin, je suis la discrétion assurée dont parlent tous les détectives privés. Je me déguiserai en ombre chinoise et je priserai de la poudre d'escampette...

Elle me coule de la promesse dans les carreaux. Une drôle de petite voluptueuse, l'empileuse de mornifle. Ça doit vous tenir ses engagements, parole ! Et ne pas donner sa place pour un bon du Trésor... Elle remplacerait plutôt quelqu'un au pied levé, comme font les banquiers !

— D'accord, attendez-moi à minuit cinq devant la gare...

— Parfait... Considérez que j'y suis déjà.

Je m'incline, manière de montrer que je suis gentleman aussi. Puis je liche et je me casse afin de lui laisser mon souvenir. Un souvenir vous sert mieux qu'une présence.

La flotte vase comme si le Bon Dieu faisait vidanger son réservoir, histoire de larguer l'antigel. Ça va être charmant tout à l'heure s'il fait ce temps-là devant la gare...

Je maraude un peu afin de repérer un restaurant. J'en dégauchis un qui m'a l'air fort convenable. Un cuisinier de bois propose devant l'entrée un menu détrempé.

Je remise mon tréteau et je fonce dans l'estanco. Bonne ambiance, fumets de choix, serveuses bien roulaga, patron assez obèse pour inspirer confiance, bref, une chouette petite usine à se massacrer le foie.

La plus blonde des serveuses me guide à une table avec lampe en bois tourné s'il vous plaît, abat-jour de cretonne et nappe en papier gaufré.

Je bigle un menu moins imbibé que celui de la devanture.

— Je vous conseille notre sole normande, c'est une spécialité dauphinoise, m'avertit la mignonne soubrette.

Je la considère.

— Moi, je vous conseille de ne pas me faire les cornes avec votre bustier, mon petit cœur. J'ai une faim de loup et un malheur est si vite arrivé !

Ça embraye sec. C'est fou ce que je me sens de l'aisance, du dynamisme, depuis que la secrétaire d'Heiffimowitchi, le réputé producteur français (huit films primés au concours agricole de Saint-Leu-la-Forêt !), est partie, son petit embrasse-en-ville à la main, comme une grande !

Je commande donc la sole normande, réservant le gratin dauphinois pour mon prochain voyage à Rouen. Afin de tenir compagnie à cette pauvre bête, un peu plate pour mon estomac, je la fais précéder d'un pâté en croûte et suivre de près d'un poulet sauté... A part le poulet qui a tellement sauté que ça l'a fait maigrir, la nourriture est bien.

Un café fort pour lutter contre la fatigue envahissante, un Dry-Pale puisque nous sommes dans le pays du marc de Savoie, et en route ! Dix heures carillonnent au beffroi de ma montre-bracelet. J'ai juste le temps de me mettre à l'abri dans un cinéma permanent.

Gentil film : l'histoire d'un officier de marine dont la femme s'est noyée dans sa baignoire... Des horizons marins, des décolletés terre à terre... De la couleur !

Un dialogue signé Lévitan ! L'officier, désespéré par son veuvage, s'apprête à se brûler la cervelle au chalumeau oxhydrique lorsqu'il apprend ce que tout le monde savait déjà : à savoir que sa nana se faisait faire le papillon du Négus par un de ses copains. Du coup, il part en canot pneumatique pour traverser l'Atlantique et débarque dans un îlot du Pacifique où l'attend Marilyn Monroe. Leurs baisers brûlants font chauffer l'atoll et c'est le *happy end* glorieux sur une musique de Rivoire et Carret !

Minuit : je fonce vers la gare !

DU MONDE AU BALCON !

Je m'annonce à minuit cinq sur le perron de la gare. Je ne vois personne, pas même un train. La flotte s'étant arrêtée de tomber, je quitte mon volant pour me dégourdir un peu les targettes.

L'horloge lumineuse indique le quart et la Lolotte n'est toujours pas là. Aurait-elle changé d'avis ? Cette pensée me contrarie because elle paraissait bien à ma poigne, la môme Tiroir-Caisse. M'est avis qu'il y avait des tuyaux costauds à lui arracher. Ça me ferait pleurer les oreilles si elle ne venait pas...

Je fais le planton encore cinq minutes. Peut-être a-t-elle été retenue plus tard que de coutume par les exigences de son turbin ?

Je m'avise alors que la brasserie Dauphinoise est à trois cents mètres d'ici. Je n'ai qu'à me prendre par la louche et m'y diriger en empruntant la grande avenue qui part de la gare. Probable que je la rencontrerai.

Aussitôt pensé, aussitôt entrepris... Je m'ébroue pour lutter contre l'humidité insidieuse qui imbibe mes fringues et me mets en marche.

J'ai déjà parcouru une dizaine de mètres lorsque j'aperçois une silhouette plantureuse se diriger vers mézigue à pas rapides. La silhouette passe devant une vitrine bien éclairée, ce qui me permet de reconnaître Charlotte. Je stoppe, content. La pépée ne m'a pas vu, car je suis dans une zone d'ombre. Pour ne pas avoir l'air de la surveiller, je me plaque sous un porche. Rien ne fout plus les pétasses en renaud que lorsqu'elles se croient observées par les jules qui gravitent autour d'elles. Soudain, une voix rompt le silence de l'avenue. Une voix d'homme qui se fait basse volontairement et qui jaillit d'une grosse Prairie en stationnement non loin de la brasserie, en bordure du trottoir d'en face.

— Hé ! Charlotte !

La môme s'arrête, indécise. La voix s'élève à nouveau :

— Charlotte !

Elle traverse la grande artère déserte et s'approche de l'auto.

Je l'entends pousser une exclamation.

— Oh ! par exemple...

Puis la portière s'ouvre, elle s'installe aux côtés du conducteur, mais la bagnole ne démarre pas... Ça discute à voix basse à l'intérieur. Je suis marron pour esgourder ! Il me faudrait un drôle d'ampli dans les éventails à libellule !

Je reste sagement sous mon porche, me demandant ce qui se passe au juste. Pas de problème, les gars, cette pétasse doit avoir une ribambelle de gnafs qui la relancent à chaque instant. L'un des soupirants a dû se sentir du vague à l'âme et du flottement dans les centres nerveux ce soir et il vient lui proposer une ascension de l'Everest vite faite sur le bord du paddock.

Mais ça ne rend pas. Elle tient à son beau baratineur (c'est de moi-même que je parle), la souris. La voilà qui redescend de l'autobus et qui se dirige vers la gare. La Prairie de l'amoureux s'éloigne. Il doit avoir la viande triste, le pauvre zig. Ça me fait presque de la peine, l'idée que je lui chipe quelques minutes de félicité...

Je quitte mon porche et, rasant les murs avec mon Philips à deux têtes, je cours jusqu'à l'esplanade de la gare. J'y parviens un peu avant Charlotte et je joue les amoureux dans l'angoisse.

— Enfin vous ! soupiré-je. J'ai eu une peur affreuse, j'ai cru que vous alliez me laisser quimper...

Mais elle paraît soucieuse... Soucieuse et autre chose aussi : méfiante. Elle n'a plus pour moi les mêmes yeux bourrés d'admiration. Elle me regarde comme on regarde un stoppeur avant de le charger. En se demandant quelles sont au juste ses intentions secrètes. Je suis sensible à ce changement de climat. Que s'est-il produit ? Le zig qui vient de la baratiner dans sa Prairie a-t-il une influence sentimentale sur elle ? S'agit-il d'un homme dont elle est amoureuse ?

Je m'efforce à l'enjouement.

— Où allons-nous, chère Grenobloise aux yeux verts ?

— Je... je m'excuse, dit-elle, mais il va falloir que je rentre chez moi...

Je l'ai plutôt mauvaise.

— Vous plaisantez, mon ange ! Nous avons convenu de faire une petite tournée des grands-ducs...

Elle secoue la tête.

— J'ai pris un malaise et il faut que je rentre... Je souffre d'une maladie de reins ; ça me prend par crises... Excusez-moi, ce sera pour une autre fois !

Je connais les gonzesses. Celle-ci est têtue comme une pleine écurie de mules. Son visage a une crispation qui en dit long sur son potentiel de volonté.

Je n'insiste pas.

— Bon, vous me ravagez le cœur, mon petit... Mais puisqu'il en est ainsi et qu'on ne peut rien contre la souffrance, je vais vous raccompagner chez vous...

Elle a un geste pour réfuter.

— Mais...

— Quoi ?

— Non, rien... Je vous remercie...

Elle prend place à mes côtés dans ma charrette.

— Où habitez-vous ?

— Rue du Général-Mégat-Laumane...

— Ça se trouve dans quelle zone ?

— Sur la route de Pont-de-Claix...

Nous voilà partis. Je roule doucement dans la nuit qui sent bon la terre mouillée et l'Alpe homicide.

Je bigle à la sauvette ma cliente. Elle paraît extrêmement crispée. Mon vieux renifleur me dit que l'homme à la Prairie qui l'a interpellée n'est pas un amoureux. C'est... autre chose ! Charlotte se comporte exactement comme si elle venait d'apprendre *qui je suis et ce que j'attends d'elle !*

Nous parvenons dans une rue bordée de jardinets modestes et de petites villas sans prétention.

— C'est ici...

Je stoppe.

— Vous ne m'invitez pas à prendre un verre ? risqué-je.

Elle reste impavide.

— Ce ne serait pas convenable, les voisins, vous comprenez...

A quelques mètres de là, je vois la grosse Prairie en station. Je ne sourcille pas, à quoi bon ?

La môme me tend la main, je lui malaxe un peu la dextre en lui gazouillant de la guimauve. Ça la fait à peine sourire. Elle louche elle aussi sur la grosse bagnole massive qui paraît somnoler dans l'ombre comme une grosse bête à l'affût.

Je quitte Charlotte et démarre après lui avoir resquillé un petit bécot (comme dirait Gilbert). Je double la Prairie en mettant pleins phares et je vois une silhouette s'accroupir sur le siège avant. Le chauffeur de la tire paraît aimer l'incognito. Bizarre, bizarre... Et c'est même d'autant plus bizarre que c'est étrange.

Ce citoyen m'intéresse. Il se peut certes que ce ne soit que l'amant de l'emmagasineuse de picaillons, pourtant un obscur pressentiment me fait croire que non. Ça doit être plus complexe. Pourquoi ce zouave pontifical éprouve-t-il le besoin de se soustraire à ma vue ? Parce qu'il me connaît ? Parce que je le connais ?

Je fonce dans la petite rue et tourne à droite. Je contourne le quartier et je reviens à l'angle de la route de Pont-de-Claix et de la rue du Général-Mégat-Laumane. Je laisse ma charrette fantôme sur la voie principale et je m'insinue dans la petite rue paisible.

Il y a de la lumière dans la maison de Charlotte. Elle n'a pas fermé les volets et, derrière un rideau, je vois deux ombres chinoises qui font du cinéma...

Je m'approche de la Prairie. Elle est vide maintenant. Je bigle la plaque d'immatriculation et je m'aperçois qu'elle est numérotée par la préfecture de la Savoie.

Les portes en sont fermées. Il n'y a plus de plaque de propriétaire au tableau de bord et c'est bien regrettable, mais grâce au numéro minéralogique, je n'aurai pas de mal à percer l'identité du mystérieux autant que tardif visiteur.

Soudain, je lève la tête. Il m'a semblé percevoir des éclats de voix en provenance de la maison. Mais j'ai dû rêver parce que le silence qui pèse sur le quartier est complet.

Je vais m'embusquer non loin de là, derrière un gros platane et j'attends. Si c'est un amoureux, il va peut-être passer la noye à régaler sa copine. Non, à peine me suis-je déguisé en homme invisible derrière mon arbre que la porte du pavillon s'ouvre et qu'un homme en sort... Je le reconnais parfaitement, il s'agit de Carotier le second époux de madame veuve Viaud ! Drôle de coïncidence, hein ? Heureusement que la vie m'a appris à ne plus m'étonner de quoi que ce soit.

Le gros descend le perron et marche à grands pas sur les graviers de l'allée. Il ouvre la grille et, sans se donner la peine de la refermer, fonce à son tank.

Je le laisse quimper. Son démarreur déconne un peu, mais il finit par obtenir la communication avec son moteur et il disparaît au bout de la rue.

J'attends un instant pour si des fois le gnafron avait oublié son suspensoir chez la nana et revenait le chercher. Mais le silence me siffle dans les coquillages. Alors, je m'approche de la grille et je remonte la petite allée conduisant à la demeure. La porte n'en est pas fermaga non plus... Elle n'a pas peur des hannetons, Charlotte.

J'entre. Il y a un bref vestibule vieux et cradingue qui pue la maison mal entretenue. Un porte-pébroques minable, en tôle émaillée, sur lequel un artiste de talent a peint deux tiges d'iris ; un portemanteau en bambou, vous pigez le climat ?... Joignez à cela une vasque en verre veiné avec des pompons et vous saurez que vous n'entrez pas chez Picasso.

Un escalier foutriquet s'offre à mon esprit aventureux. Chaque marche est couverte de lino verdâtre. Je grimpe. Au premier : petit palier linoléumé également... Une porte ouverte sur une pièce éclairée. Je passe la tronche. Charlotte est là, sur la carpette, à tirer une langue de quinze centimètres au moins. Elle est violette, mais ça ne durera pas, car les maccha-bées ne tardent jamais à prendre la blancheur Persil.

Le Carotier, avec sa force de louchebem, lui a serré le corgnolon un peu trop fort au cours de la discussion, et la caissière en a avalé son bulletin de naissance !

Je suis un peu interdit. Voilà qui me paraît plus extravagant que tout le reste.

Cette fille connaissait Carotier... Carotier a

été affolé par ma visite et il est venu prévenir Charlotte de la boucler.

Elle a dû menacer de parler et il l'a zigouillée... Très bien. Je sais au moins à quoi m'en tenir. Tous ces braves gens paraissent avoir une conscience aussi chargée qu'une plate-forme d'autobus à midi dix !

Je cavale hors de la maison... Tu tiens le bon bout, San-Antonio... En quelques heures, tu as parcouru un chemin considérable, mon grand ! Surtout quand on pense qu'à Paname, les collègues officiellement chargés de l'enquête en sont encore à se demander si Viaud avait un plombage à la canine gauche !

Pas une seconde à perdre !

Je trace dans la rue. Je cours jusqu'à ma voiture et je mets pleins gaz.

Si ce que je mijote réussit, je vais peut-être obtenir des résultats avant la fin de la nuit...

La flotte reprend de plus belle. Je me dis que j'ai oublié d'éteindre la loupiote chez Charlotte. Tant pis, au point où elle en est, elle se moque vachement des notes d'électrac ! Non ?

DEUXIÈME PARTIE

ASSIEDS-TOI ET CAUSONS !

M. Carotier est un petit cachottier...

Voilà ce que je chante pour me donner du cœur au turbin. La rime est riche, du reste, et la route est large.

Oui, un petit cachottier qui joue les vertueux. Un petit cachottier doublé d'un fameux assassin.

Parce qu'enfin il a fait vite, le louchebem. Je veux qu'il a l'habitude de buter, pourtant ses bœufs, il ne les étranglait pas, non ?

Pourquoi a-t-il chtourbé la Lolotte ? Pas d'erreur : parce qu'elle était au parfum de trucs qu'il tient absolument à ce que j'ignore. Il s'est assuré sa discrétion, en quelque sorte...

A ces heures, il doit bomber en direction d'Aiguebelette. J'en fais autant, avec l'espoir de le dépasser en cours de route et d'arriver le premier chez lui. Les terreux ne vont jamais très

vite en auto et ma guinde roule plus vite que la
sienne ! Je mets toute la sauce. Les routes sont
libres à ces heures. Un peu glissantes aussi, mais
j'ai des pneus neufs !

Avant Voiron, j'aperçois la grosse tire volu-
mineuse du boucher... Je fais un petit appel de
phares et je le passe à vive allure pour qu'il n'ait
pas le temps de me reconnaître s'il me laisse ses
phares dans le dos. Il n'est pas correct avec les
femmes, mais en revanche, il l'est avec les
automobilistes car il se fout en code pour ne pas
me gêner. Merci, monsieur l'étrangleur, le Bon
Dieu vous le rendra !

Au lieu de ralentir, je colle ma semelle au
plancher. Ma voiture semble bondir hors de la
zone d'attraction de la Prairie... Les deux phares
jaunes se diluent rapidement dans l'obscurité
aqueuse.

Lorsque je parviens devant chez le zig, j'ai dû
lui coller un bon quart d'heure dans la vue pour
le moins.

Je dépasse sa villa « Mon Repos » et j'avise
un petit chemin de traverse, non loin de là. J'y
colle ma brouette, j'éteins mes calbombes et je
radine à sa forteresse en marchant sur l'herbe du
talus pour étouffer le bruit de mes pas. J'ai les
arpions qui commencent à me faire mal... Faut
vous dire que j'ai un oignon et un œil-de-perdrix

au même pied à cause d'une paire de chaussures neuves qui n'étaient pas à ma mesure. L'oignon fait pleurer l'œil-de-perdrix et c'est très désagréable.

Je pousse la portelle de la grille, je gagne la maison. Il y a de la lumière dans la salle à manger. Comme je franchis une zone caillouteuse, la porte s'ouvre. La veuve Viaud, épouse Carotier, paraît dans un rectangle de lumière orangée.

— C'est toi ? s'informe-t-elle.

Je fais deux pas dans la lumière. Elle me reconnaît et a un geste de recul.

— Oui, madame Carotier. C'est moi. J'espère que je ne vous dérange pas ?

Elle se reprend un brin, mais son visage est blafard et des cernes bleus soulignent ses carreaux.

— Je... A ces heures ! balbutie-t-elle.

J'entre, je repousse la lourde... Une bonne odeur de caoua tout frais embaume la pièce. Cette digne personne est aux petits soins pour son toucheur de bestiaux. Elle lui a préparé un Mokarex pour le remettre de ses émotions nocturnes.

— Vous connaissez le dicton, fais-je, il n'y a pas d'heure pour les braves...

Je déboutonne ma veste humide.

— Il fait bon chez vous... Votre mari ne va pas tarder, je l'ai doublé avant Voiron... Il roule son petit bonhomme de chemin... Un brave type, hein ?

Elle me détranche en se demandant si c'est du lard ou du cochon que je lui brade en ce moment.

Je souris.

— Qu'avez-vous, madame Carotier, vous semblez émue ? C'est ma visite ? Vous avez eu peur ? Vous pensiez que tout n'avait pas bien marché pour votre jules ?

Je découvre deux tasses propres sur une desserte. J'en chope une, j'y colle deux sucres puisés dans une poule en verre bleu et je vais à la cuisine me verser un jus carabiné. Je reviens en touillant mon caoua.

— Vous êtes bien installés, ici, dis-je. C'est intime... C'est douillet... La maison dont rêvent tous les Français, avec même des volets verts ! Comme c'est idiot de perdre tout cela sur un coup de sang...

Elle ne peut proférer un mot. Je la vois se désincarner devant moi. Elle se dilue dans la trouille comme les deux sucres dans ma tasse de café.

— Que ferez-vous pendant que Carotier sera en prison ? je questionne. Vous remarierez-vous une troisième fois ou bien partirez-vous en Afrique pour y soigner les lépreux?

Le sale mot l'a atteinte en pleine poire.

Elle murmure :

— En prison?

— N'est-ce pas là, madame Carotier, que finissent presque tous les assassins?

Autre mot percutant. Elle bavoche :

— Les assassins...

Je regarde ma montre... Je viens de bouffer six minutes sur mon avance présumée. Il s'agit de mouler les mondanités pour entrer dans ce que les littérateurs chevronnés appellent « le vif du sujet ».

Je m'approche d'elle et lui parle sous le nez.

— Un homme qui étrangle une femme jusqu'à ce que mort s'ensuive, c'est bien un assassin, si je m'en reporte au dictionnaire, non?

Elle secoue la tête, incrédule.

— Non, non! Ça n'est pas possible!

— Si, ça l'était puisque c'est chose faite. Carotier vient de tuer Charlotte... Voilà! Ce sont les toutes dernières nouvelles, ma bonne dame : les journaux ne l'imprimeront pas avant un jour ou deux et la police officielle l'ignore encore... Mais moi je suis toujours à l'avant-garde de l'information.

Elle hoquette et ses mains tremblent comme si elle se tenait debout sur un tamis à moteur.

Je poursuis, véhément comme un avocat général réclamant une tête d'haineux :

— Le meilleur moyen de faire taire les gens, c'est de les rendre muets. Ce gros salaud a étranglé la rouquine. Comment la connaissait-il ? Quels liens existaient-ils entre elle et vous ? Vous allez parler, ma vieille... Et en vitesse, parce que je commence à en avoir classe de cette bonne femme qui épouse des truands : un espion et un meurtrier, vous parlez d'un doublé !

Elle se cache la figure dans les mains.

— C'est atroce, pleurniche-t-elle.

— Mollo sur le cinéma, je vous prie... Je suis blindé et même les premiers prix de Conservatoire me font dresser les cheveux sous les bras !

Je reprends :

— Depuis quand connaissiez-vous Charlotte ?

Elle me regarde.

— Mais...

— Allez, parlez, ou je vais employer les grands moyens !

— C'est ma belle-sœur !

J'en prends un coup sur la soucoupe.

— Vous dites, madame la marquise ?

— C'est la sœur de mon mari...

J'en ai le grand zygomatique qui danse le cha-cha-cha...

Mais un ronron de moteur m'arrache à ma surprise. Voilà le mec qui s'annonce. Il a gagné un peu sur l'avance que je lui ai prise.

Je bigle la vioque.

— Arrivez par ici, ma bonne dame...

Je la pousse vers la cuisine. Au fond de celle-ci se trouve un réduit qu'en Savoie on nomme « la souillarde » et qui sert de garde-manger. Je fais entrer la dame Carotier dans ce piège à rats puis je referme la lourde et mets le verrou.

— Soyez sage ! recommandé-je, je n'en aurai pas pour longtemps.

Je reviens dans la salle à manger. Je traîne une chaise derrière la porte et m'y installe avec mon revolver sur les genoux.

Le bruit du moteur a cessé. Le pas lourdingue du gros crisse sur le gravier. Il tapote ses lattes sur le perron, comme le font les bouseux, et il entre. Le panneau de la porte me masque à sa vue. Il fait quelques pas, d'un geste machinal, il repousse la lourde sans se retourner.

Le silence l'inquiète. Il demande :

— Tu es là ?

Il tient dans son dos sa grosse main gauche hérissée de poils blonds pareils à des poils de cochon.

Je lui chatouille le creux de la paluche avec le canon de mon composteur. Le froid de l'acier le fait sursauter. Il se retourne, nous aperçoit, Tu-Tue et moi, et il demeure béant, flasque, abruti par la stupeur.

— Alors, mon gros, murmuré-je, quel effet ça fait-il de buter sa frangine ?

Il ne sait que me regarder avec des yeux tellement gros qu'on dirait un bœuf. Un bœuf qu'un premier coup de masse n'a fait qu'étourdir.

— Qu'est-ce que vous faites là ? grogne-t-il. Foutez le camp !

En lui, l'esprit cul-terreux reprend l'avantage. Il se dit qu'il est dans sa maison, qu'il fait nuit et que je n'ai pas le droit de m'y trouver s'il ne veut pas.

Ça me file en renaud.

Je me dresse.

— Dis donc, espèce d'assassin du dimanche, faudrait voir à me parler poliment. Je ne suis pas une faible femme à qui tu peux tordre le cou comme à un pigeon, compris ?

La brutalité de l'image le cisaille. Il ouvre la bouche et je découvre sa grosse langue épaisse posée sur un lit de salive.

— Ferme ta bouche, bébé, tu vas t'enrhumer

les poumons ! comme disait un de mes amis
méridionaux.

Il me regarde.

— Et fais pas cette hure, Carotier, tu ressem-
bles à un trophée de chasse. Il te manque que
des cornes ou bien du persil dans le naze pour
compléter l'illusion. Ça t'épate de me trouver là,
non ? Ne cherche pas, il n'y a pas de miracle :
j'ai une voiture plus rapide que la tienne et un
coup de volant plus efficace. Tu ne te rappelles
pas que je t'ai doublé à Voiron ?

Une lueur, non pas d'intelligence — à l'impossible nul n'est tenu — mais de compréhension,
flotte dans sa gélatine.

— J'étais rue du Général-Mégat-Laumane
pendant que tu faisais tirer la menteuse à
Charlotte ! J'ai tout vu... Et je me suis même
payé le luxe d'aller lui tâter le pouls après ton
départ. Compliment, c'est du boulot de profes-
sionnel. Elle était aussi morte qu'un os de gigot !
Alors on va un peu s'expliquer sur tout ça, pas
vrai, Bazu ?

Je pousse du pied une chaise au niveau de son
postère et d'une bourrade je le fais asseoir.

— Raconte !

Il me regarde.

Puis, soudain, il explose : c'est la réaction.
Une réaction idiote de péquenot :

— C'est pas moi, c'est pas moi qu'ai tué Charlotte !

Ils sont fortiches pour nier l'évidence, ces gros tordus ! Pas lui !

— Bien sûr que ça n'est pas toi, mon bijou... C'est elle, elle s'est serré le kiki à deux mains jusqu'à ce qu'elle tombe raide, pas vrai ?

Il secoue la tête.

— Pas moi ! Pas moi !

Il m'agace tellement que je lui mets un coup de crosse sur la pommette. Sa viande éclate à cet endroit et un beau raisin rouge vif se met à ruisseler sur sa face aux traits brouillés.

— Ça n'est pas moi non plus ! lui dis-je. Trêve de billevesées, parle ou tu vas prendre quelque chose pour ton lard, c'est promis ! J'ai horreur qu'on me donne le démenti de façon aussi stupide... Ça me fait perdre ma confiance dans les destinées de l'homme, tu comprends ?

Il ne comprend pas, mais il se soumet.

— Attends, mon gros, tu n'as pas la parole fastoche, je vais donc t'aider...

Seulement, ça n'est pas moi qui l'aide, c'est quelqu'un d'autre. J'entends la porte s'ouvrir, je me retourne et j'avise la mère Carotier, debout, une poêle à frire en main. Cette peau de vache a passé par la fenêtre de la souillarde et la voilà qui me prend par revers avec sa poêle à frire ! Je tourne mon pétard vers elle.

— Pas d'exhibition, madame Carotier. Hâtez-vous de poser ce ridicule ustensile ou je vous colle une bastos !

Mais elle n'a pas peur. Son regard distille des éclairs. Je ne voudrais tout de même pas tirer sur une femme armée d'une seule poêle !

Mon hésitation est mise à profit par la vioque. Elle lève sa massue improvisée et l'abat de toutes ses forces. J'ai fait un saut de côté, mais la table m'a gêné et j'ai dégusté la poêle sur l'épaule... Une douleur affreuse me fait grimacer. La vioque se met à beugler à son gros lard :

— Cogne ! Mais cogne donc !

Alors Carotier reprend du service. Engagez-vous, rengagez-vous dans le troisième bataillon d'étrangleurs montés !

Il se soulève, prend sa chaise et me l'abat sur le crâne. Aussi fastoche que je viens de vous le dire. Mon bras paralysé par le coup de poêle à frire n'a pas eu la force de se lever pour braquer le soufflant. Je biche le siège en pleine bouille et illico je me trouve inscrit au barreau. Ça se met à tourniquer autour de moi. J'essaie de me cramponner à la table, mais des nèfles ! Je vais à dame ! Le couple de petits rentiers tranquilles me saute alors dessus et font une danse incantatoire sur ma personne. J'en prends plein le buffet, plein la poire... J'ai la sensation déprimante de me faire masser par un rouleau compresseur.

Des cloches carillonnent à toute vitesse sous ma coupole... Je vois des trucs bleus, des machins rouges, puis une chiée d'étincelles d'or... Très joli sur les manches d'un général, l'étincelle d'or... Mais c'est gênant quand ça vous brouille la vue... Je demeure inanimé. Conscient, mais faible comme un bonhomme Noël en coton hydrophile.

Les deux carnes reprennent souffle. Ils s'essuient le front et se regardent.

La femme dit :

— C'est vrai que tu as tué Charlotte ?

— Fallait bien, soupire l'autre. On s'est quasiment engueulés. Elle m'a dit comme ça qu'elle en avait marre de nos histoires ; qu'elle m'avait sauvé la mise une fois et qu'elle le regrettait vu que Laurent en était sûrement mort, d'après elle... Elle a dit comme ça que si la police recommençait à enquêter, elle cracherait le morceau... Moi je lui ai dit comme ça que si elle avait le malheur de parler il y arriverait malheur... Alors elle m'a dit comme ça que ça l'étonnait pas vu qu'elle se doutait que son frère

était un assassin... Alors j'ai plus pu y tenir...
Je...

La mère Carotier, veuve Viaud, soupire.

— Quelle misère !

Elle me pousse du pied.

— Et çui-là qu'est au courant de tout !

— Çui-là, fait son gros baigneur, t'en inquiète
pas, il pourra pas bien causer de ce qu'y sait...

— Il m'avait enfermée dans la souillarde,
mais j'ai franchi la fenêtre...

— T'as rudement bien fait !

Je suis le souci dominant de la dame car elle
reprend :

— Qu'est-ce qu'on va en faire ?

Il réfléchit.

— Je vais te dire, fillette, on va l'assommer
avec une pierre... Ensuite, on le mettra dans son
auto et j'irai la conduire jusqu'à la route qu'ils
construisent à flanc de montagne... Je pousserai
l'auto dans le lac... D'ici qu'on la retrouve, ça
fera du temps. Et quand on la trouvera, on se
dira que ce cogne s'est trompé de chemin et qu'il
est tombé à l'eau...

Gentil programme, vous en conviendrez ?

Le moment est venu de me manifester si je ne
veux pas aller pêcher les truites du lac en les
chopant par la queue.

— Je vais voir où qu'il a mis son auto, avertit

l'homme. Surveille-le, des fois qu'il n'aurait pas son compte !

Il sort. La vioque s'assied près de moi. Elle me regarde. Je sens ses yeux posés sur moi et je ne fais pas un geste. Il faut que je récupère... Ça n'est pas la première fois que je m'offre un voyage dans les vapes en classe touriste. J'en suis toujours ressorti, fier comme bar-tabac... Les douleurs aiguës se tassent un poil. Le gyroscope qui me détraque la pensarde arrête sa ronde...

Quelques secondes interminables s'écoulent. Je pense à la mort de Louis XVI pour me donner le temps de coordonner mes idées. Voilà un pauvre gars qui a fait l'âne mais qui a eu du son. Et sa bergère du Trianon-Dancing itou ! Pourtant c'était une bonne personne avec plein de louables intentions puisqu'elle voulait que le populo croûte de la brioche !

Ça va, je peux carburer... Je roule d'un seul bond sur le ventre, culbutant la chaise de la mère Carotier. La voilà qui, prise de court, s'affale sur le plancher. Je ne la laisse pas se relever. D'un second bond, je me retrouve agenouillé près d'elle, en train de lui arracher mon pétard qu'elle tenait à la main, chose que j'ignorais... Je parviens à mes fins au moment où le bulldozer radine...

Il jure en voyant le tableau et se précipite sur moi.

— Espèce de..., commence-t-il.

Il n'achève pas, car je viens de lui cloquer une olive dans le bureau. Il tousse vilain et s'arrête de marcher, de sacrer, et même de vivre... Il reste une fraction de seconde en équilibre puis il s'écroule. Ça soulève de la poussière, je vous prie de le croire. Quand on flingue un éléphant, on n'obtient pas plus de déplacement d'air.

La mère Carotier émet la méchante clameur vengeresse. Elle me saute sur la balustrade, les ongles en avant. Je lui montre mon artillerie de poche en accompagnant mon geste d'un regard glacé.

— Suffit ou je poursuis l'hécatombe, l'artiste n'est nullement fatigué !

Elle se laisse couler sur une chaise et des larmes ruissellent sur ses joues.

Je lis sur sa frite une grande tristesse. Ça me titille la glande émotive.

— Écoutez, madame Carotier, dites-vous bien que les jurys ne sont pas tendres pour les fratricides. Dans un sens, ils sont encore plus féroces avec eux qu'avec les parricides !

Elle m'écoute, soudain attentive, comprenant qu'elle est allée vraiment trop loin !

— Êtes-vous décidée à parler, ou bien dois-je vous faire conduire à la prison du chef-lieu ?

Elle dit, dans un souffle :

— Je vais parler...

Je réprime un sursaut de jubilation. C'est bougrement agréable d'aboutir.

Comme la vioque louche sur le défunt, je biche la nappe couvrant la table et je l'étends sur le cadavre de Carotier. Seuls ses pieds en flèche dépassent, ce qui fait plus sinistre encore.

— Ce que c'est que le destin, fais-je. Il n'a pu survivre longtemps à sa sœur... Allons-y, madame Carotier.

LA PORTE AUX CONFIDENCES

Je renonce — malgré mon grand talent — à vous transcrire fidèlement cet interrogatoire syncopé. Trop de hoquets, de larmes, de sanglots, de réticences, d'échappatoires! Je suis le fil de son récit comme un aveugle suit la rampe d'un immeuble qu'il ne connaît pas.

Une bonne heure s'écoule en phrases inachevées, en questions tortueuses, en déductions...

Seulement, au bout d'une plombe, j'ai franchi un bout de chemin appréciable. Comme je n'ai rien de caché pour vous, je vais vous bonnir un résumé pertinent et fidèle des aveux de la mère Carotier.

Toute l'affaire a démarré à l'époque où Auguste Viaud voyageait pour le compte de sa maison chleuh. Ses fréquents voyages dans une Allemagne en pleine puissance le troublèrent, puis il fut séduit par l'organisation du IIIᵉ Reich.

Esprit méthodique, l'ordre d'outre-Rhin chantèrent en son cœur de zig positif... Bref, il devint nazi et, ayant beaucoup de relations au pays de la souris grise, entra dans l'espionnage boche.

Lorsqu'il était chez lui, il se livrait à une propagande effrénée auprès de ses intimes, c'est-à-dire auprès de sa femme et de son meilleur ami, le gros Carotier. Carotier, depuis toujours, était l'amant de la mère Viaud. Il est intéressant de noter que les femmes préfèrent le boucher au Viaud. C'est dans leur tempérament. Le gros, malgré sa brioche, devait s'expliquer au plumard ! Quoi qu'en dise le proverbe, les mahousses aiment les jeux de l'amour et du lézard. Le louchébem culbutait la femme de son pote, mais ce respect de la tradition ne l'empêchait pas d'avoir une vaste considération pour Viaud. Il lui emboîta le pas aussi sec et se mit à fricoter avec lui. Je ne sais trop l'utilité que peut avoir un boucher pour un réseau d'espionnage, mais je pense que le rôle de Carotier a surtout consisté à héberger des gens qui avaient intérêt à se planquer.

Un sale matin, Viaud s'est fait poisser bêtement, dans les circonstances que l'on sait, et il a été conduit au commissariat.

Comme le commissaire était l'amant de la sœur de son ami, il a voulu faire jouer la

république des copains. Seulement le commissaire était honnête à sa façon. Il a dit à Viaud
qu'il devait se taire et tout prendre sur ses
épaules pour éviter que sa femme et son ami
soient compromis. Viaud a accepté. Laurent a
prévenu sa poule, Lolotte, pour qu'elle fasse le
nécessaire auprès de son frangin...

Carotier a pu se tirer de l'impasse. Mais, le
lendemain, Laurent a été écrasé par un chauffard inconnu. D'après la mère Carotier, le
boucher n'était pour rien dans l'accident. Au
contraire, il avait tout intérêt à se ménager un
homme qui venait de lui sauver la mise, qui était
presque son beau-frère et qui, de par ses fonc-
tions, pouvait encore lui donner un sérieux coup
d'épaule en cas de coups durs.

Je demande à la vioque ce qu'elle pense, elle,
de cet accident. Elle me dit qu'à son avis il s'agit
d'une malheureuse coïncidence et je ne suis pas
loin d'admettre la possibilité de cette hypothèse.

Ceci exposé, elle se tait.

— Bon, fais-je et ensuite ?

Elle me bigle de ses yeux indécis lavés par le
chagrin.

— Comment, ensuite ?

— La voiture disparue, le cadavre enlevé...

On dirait que je lui parle hindoustan.

— Je vous ai dit que la voiture avait été volée... Qu'est-ce que c'est, le cadavre ?

— Rien ! Vous ne le savez pas que le cadavre de votre premier mari a été kidnappé ?

La pauvre dame en a la bouche tordue par l'incrédulité.

— Qu'est-ce que vous me racontez ?

Je dois bien me rendre à l'évidence : elle n'est pas au courant du rapt. J'en suis estomaqué. Saperlipopette, cette piste se terminerait-elle dans une impasse ?

Je la travaille au foie, au citron, au battant, mais inscrivez *motus !* Elle est formelle. Une fois Viaud arrêté, l'affaire a été achevée en ce qui concernait Carotier et elle.

Excepté la visite des boches, quelques mois plus tard, elle n'a plus jamais entendu parler de rien. Les deux amants se sont mariés, ils ont espacé les relations avec Charlotte parce que celle-ci s'était mis dans le crâne que son frère avait écrasé son amant par mesure de sécurité, et ils ont mené une vie paisible...

Douze ans de turbin chez les Établissements Poulet m'ont appris à reconnaître la vérité du mensonge et il est bien rare que je me file le doigt dans les cocards. Ici, je sens que la vioque bonnit la vérité. Et je le crois d'autant plus que Carotier était un individu fruste, sans intelligence. Un petzouille colérique qui a étranglé sa frangine parce qu'elle le traitait d'assassin ! Un vrai poème, avouez-le !

Il n'en reste pas moins vrai qu'on a volé le cadavre de Viaud, que ce cadavre a été trouvé quinze berges plus tard dans la banlieue de Paris et dans le coffre de sa voiture, comme l'écrirait un romancier à grosse cadence ; et qu'enfin, moi, San-Antonio, le super-as, l'homme qui débarrasse les gens d'un préjugé qui leur coûte cher puisqu'il remplace Astra, j'ai trouvé la montre de Laurent dans la tombe vide ! Si vous êtes doué pour les rébus, ne vous gênez pas, je reçois de cinq à sept au bistrot d'en face et sur rendez-vous dans ma garçonnière !

J'en ai des fourmis dans la rotonde... Bonté divine, je buterai donc jusqu'à perpète dans ce mystère ? A l'instant où je pense trouver l'éclaircie, voilà que tout devient opaque ! Au moment où je sens que le voile va se déchirer, le rideau de fer descend devant mes carreaux. Inlassablement, je me casse le pif sur ces points d'interrogation en béton armé !

Si au moins ce salopard de Carotier ne venait pas d'étrangler sa frangine ! La Lolotte aurait pu éclairer ma lanterne. Elle m'aurait renseigné au moins au sujet de la montre ! Cette fameuse breloque qui appartenait à Laurent et qu'on retrouve longtemps après sa mort dans le caveau de famille des Viaud !

Quelle bouteille à encre de Chine !

Comme le silence s'est rétabli depuis un sacré bout de temps, la mère Carotier soupire.

— Qu'est-ce que ça va faire ?

Cette petite question me rappelle aux réalités.

— Ne vous tracassez pas. Je vais vous conduire à la gendarmerie la plus proche et les pandores s'occuperont de votre second défunt...

Elle ne proteste pas. Tête basse, elle me suit jusqu'à ma bagnole, prend place à mes côtés et nous roulons dans la nuit humide jusqu'à la première succursale de bourres.

Je réveille la casbah et un brigadier en pyjama, coiffé en hâte de son képi, vient délourder. Je me fais connaître, lui explique en deux mots ce qui s'est passé, sans entrer dans le chapitre espionnage, et je lui confie la mère Machin. Ensuite, il ne me reste plus qu'à regagner Grenoble.

*
* *

Vous admettez que ma petite existence est plutôt mouvementée. Voilà une journée chargée en incidents, en allées et venues et en fatigue...

Sans parler des émotions fortes, des stations sous la flotte et des gnons encaissés !

Voyez-vous, bande de clodos, quand on fait ce métier de chien, on a droit automatiquement à la Légion d'honneur, à la retraite des vieux, à la retraite aux flambeaux et à une place assise dans le métro !

Il est trois plombes du mat lorsque je me glisse dans les draps. Une chance que la môme Nicole se soit cassée, s'il fallait que je lui rende mes hommages nocturnes, par-dessus le marka, je serais obligé de prendre de la main-d'œuvre étrangère, parole !

ET UN PRESSE-CITRON, UN !

Le lendemain est jour de fête, donc jour férié
avec ce que cela implique de portes fermées et
de chemises empesées.

Je flemmarde au pieu et sur les choses de dix
heures, je tube à la réception afin de comman-
der un bol de café fort et assez de croissants pour
décorer le pavillon de la Turquie à la Foire de
Paris.

Le tout m'est véhiculé par une femme de
chambre en robe noire et tablier blanc des plus
comestibles. Un peu gourde sur les bords,
certes, mais carrossée par Ferrari.

Je lui dédicace un sourire matinal illuminé par
Colgate et elle semble y être sensible.

— Je savais que Grenoble était une jolie ville,
lui dis-je, mais j'étais loin de supposer que les
Grenobloises avaient un pareil charme.

Elle me répond qu'elle est de Lons-le-

Saunier, ce qui ruine instantanément mon madrigal.

Elle est fraîche, appétissante, jeune, et propre comme les lavandières du Portugal.

J'ai le geste auguste du semeur de caresses à l'endroit de son envers et la voilà qui glousse comme quoi je ne suis pas raisonnable ! Ce que les femmes ont à parler raison, elles qui n'en ont pas un brin, dites-moi !

Je pousse un peu mes avantages. Je fais l'avion avec ma dextre. D'abord un piqué, puis une remontée en chandelle sous les jupes. La transporteuse de café-crème s'affale sur le lit... Je prends le bol de caoua brûlant sur les valseuses, ce qui freine net mes ardeurs ! Accident du travail, les gars ! La soubrette est désolée. Et puis, comme tout cela est du plus haut comique, on éclate de rire l'un et l'autre et elle retourne me chercher un déjeuner.

Je me loque pendant ce temps. Elle me promet de venir me rejoindre cette nuit, je lui allonge un pourliche qui va lui permettre de venir en aide à sa pauvre vieille moman et je breakfaste avec appétit.

Au moment de passer le seuil de l'hôtel, j'ai la satisfaction de voir du soleil plein Grenoble. Dans les proches lointains, si j'ose m'exprimer ainsi, les glaciers de l'Alpe traîtresse étincellent comme si on les avait passés au Miror !

Bonno !

Je me dirige vers ma bagnole mais, au moment de grimper dedans, je m'arrête, indécis. Où vais-je, où cours-je ? Je n'ai pas la moindre idée de l'orientation à donner à mon enquête !

D'autre part, nous sommes mardi et il faut que je sois jeudi à Pantruche : rancart avec le Vieux pour une affaire ! Comme il ne faut jamais laisser un geste en suspens, je finis d'ouvrir la lourde de ma tire et, comme la voici ouverte, je prends place à l'intérieur.

Puis j'allume une cigarette et, tout en regardant passer les ménagères et les bonnes gens qui reviennent de la messe, je réfléchis.

Au lieu de tirer à hue et à dia, je dois m'atteler à l'un de mes mystères et le dénoyauter.

Je décide de choisir le mystère numéro 3, celui de la montre. Au diable l'ordre chronologique, et même l'ordre tout court !

Voyons, la première question qui se pose concernant l'oignon d'argent, c'est : qui l'a pris à Laurent après sa mort ?... Comment le bijou est-il parvenu dans le gousset de celui qui, par la suite, est allé kidnapper le cadavre de Viaud ?

Charlotte aurait sûrement pu m'éclairer sur ce point délicat. Allez donc maintenant, après quinze années écoulées — et quelles années, madame ? — faire la lumière sur un point aussi obscur, aussi mièvre !

Je sors la montrouze de ma pocket afin de l'examiner une fois de plus.

Je la fais sautiller dans ma dextre.

— Toi, si tu pouvais parler, tu en aurais à raconter, hein, ma belle ? lui dis-je.

Et voilà que la montre se met à bavasser.

En la regardant de très près, je m'aperçois que le milieu du boîtier fait comme une bosse, derrière... Cette bosse ne provient pas du fait que le bijou a été piétiné... Au contraire, l'écrasement l'aurait aplati alors que là il y a une protubérance... Je passe mon doigt. J'ai le sens tactile développé, comme les aveugles. Je sens le creux par-dessous l'inscription gravée. Et les rouages sont enfoncés vers le centre du mouvement. Bref, j'ai la certitude qu'on a glissé à l'intérieur de la breloque un petit objet dur qui a mutilé rouages et boîtier.

Je remets la montre en place et je balance mon mégot par la portière. Un vieux zig qui passe à vélo le prend sur la main et se met à me traiter de tous les noms. Ses invectives ne me font pas décrocher. Je suis mon raisonnement.

Ce qu'il faut, en toutes circonstances, c'est se mettre dans la peau des gens. Filons en arrière et revenons à l'arrestation de Viaud. Cet homme a été nazifié. Il est gonflé de principes politiques et il travaille contre son pays. Je suppose que sa conscience le taquinait un peu tout de même. Pourtant, il s'accommodait fort bien des objections qu'elle pouvait lui faire. Et puis un jour : la tuile... Il est démasqué. Du coup, sa conscience se met à crier aux petits pois. C'est fou ce que les hommes prennent conscience de leur responsabilité lorsque la police se met après eux !

Les poulardins, deux robustes brutes, le conduisent au commissariat. Il connaît le commissaire. D'abord parce que dans une ville de province tout le monde se connaît, et puis aussi parce que le fonctionnaire est l'amant notoire de la sœur de son meilleur ami. Ça rend les choses plus faciles, plus humaines. Viaud s'allonge, écroulé, il bonnit la vérité à Laurent. Laurent est salement emmouscaillé. Que faire ? Il ne peut étouffer le scandale qui a pris instantanément d'énormes proportions étant donné le nombre de gens qui l'ont découvert. Il dit à Viaud d'avoir du cran et d'épargner sa femme et son ami...

Viaud dit gi-go ! Il a sur lui *quelque chose d'important ;* je m'excuse d'employer une for-

mule aussi vague, mais vraiment je ne vois pas
ce que ça peut être. Ce quelque chose, il avait
l'intention de le planquer, la preuve c'est qu'au
moment de son arrestation, il a demandé aux
cognes la permission de se fringuer. Il espérait
pouvoir faire disparaître l'objet... Se voyant
perdu, Viaud donne le quelque chose à Laurent.
Laurent le glisse dans le boîtier de sa montre...

Je stoppe mon vagabondage intellectuel... Un
quelque chose de dur qu'on pourrait glisser à
l'intérieur d'un boîtier ! Ça doit être chinois !

Bast, ne nous arrêtons pas sur un détail...
Ensuite ?

Je me gratte le nez... Ensuite, quoi ? Laurent
est détenteur de l'objet. Il livre son client aux
autorités militaires puisqu'il ne peut faire autrement... Et il parle de l'objet à quelqu'un qui le
tuera pour se l'approprier et lui volera sa
montre.

Plus tard, le quelqu'un aura besoin du cadavre
de Viaud... Voilà que je redéraille ! Ce que c'est
empoisonnant, nom d'une pipe ! Comme dirait
une hirondelle, y a de quoi prendre un martinet
pour s'en faire foutre un coup !

Je me mords les ongles. J'ai envie de tout
casser... L'incompréhension me rend dingue...
Ce qu'il y a d'affolant dans cette histoire,
comprenez-le, c'est qu'on ne peut échafauder

d'hypothèse cohérente. On construit une version, et puis, soudain, crac, elle tombe en miettes, fusillée à bout portant par la logique.

Quels sont les personnages de l'affaire encore disponibles actuellement ? Charlotte est morte, Carotier aussi... Laurent est mort... Viaud est mort... La veuve m'a dit tout ce qu'elle savait et ça n'est pas suffisant pour éclairer ma lanterne. Alors ?

Ah si, il me reste tout de même le brigadier. Vous savez, l'agent de mauvaises liaisons ? Lui a vécu le drame... Témoin indifférent, bien sûr, stupide, c'est certain, mais témoin tout de même...

Je roule jusqu'au poste de police. J'ai du bol car je tombe sur le moustachu au moment où il quitte l'établissement bignolon, son service terminé.

Je le hèle :

— Hep ! brigadier !

Il me reconnaît, s'humidifie et radine en louvoyant, les yeux bons.

— M'sieur l' com'saire !

Cet homme est une vivante contraction.

— Vous rentrez chez vous, brigadier ?

— Tout doucement... J'étais de nuit...

— Montez, je vais vous reconduire !

Il est cisaillé, le gnaf...

— Mais...

— J'ai le temps, nous bavarderons...

Et nous bavardons en effet.

— Comment vous appelez-vous ?

— Bazin !

— Oh ! c'est vrai... Où avais-je la tête... Vous êtes parent avec les écrivains ?

Il hoche la tête :

— Mon père était facteur...

— Ce serait un indice en faveur du oui... Dites, vieux, j'aimerais que vous me parliez de Laurent... Quel genre d'homme était-ce ?

Il hésite...

— Allez, j'écoute, vous pouvez vous déboutonner devant moi, je suis un homme compréhensif...

Bazin introduit un ongle noir et long dans son tuyau auditif et butine un chargement de miel dans ses portugaises... Il regarde son butin, s'essuie après la banquette de ma calèche et hausse les épaules.

— Écoutez, déclare-t-il. J' suis t'un homme carré !

J'approuve.

— Il m'a semblé...

— Alors je vous dis l'authentique vérité, s'pas ?

— Merci.

— Eh ben, l' Laurent c'tétait z'une vraie peau de vache !

Libéré par cette révélation, il se met à puiser dans ses fosses nasales. Le résultat est plus substantiel que celui des étiquettes.

— Qu'appelez-vous une peau de vache, Bazin ?

Il me considère non sans surprise.

— Vous voyez ce que je veux dire ? Mauvais avec les inférieurs et une vraie m... avec les supérieurs, quoi !

— Je vois...

— Sa gonzesse, la Charlotte, le faisait grimper au mur rien qu'en z'élevant la voix !

Il brame :

— Arrêtez, j' suis t'arrivé !

Je stoppe devant un bistrot à la terrasse accueillante. D'autant plus accueillante qu'elle est déserte.

— On boit un petit apéro ?

Il sursaute :

— Vous z'alors, v' z'êtes pas fier !

— Il n'y a pas de quoi l'être non plus, riposté-je avec sincérité.

Nous nous attablons. Lorsque le taulier vient prendre la commande, c'est d'une voix ostentatoire que Bazin me demande :

— Qu'est-ce que vous z'allez prendre, monsieur le commissaire ?

Manière de montrer à son bistrot qu'il est noté chez les huiles !

— Un petit Cinzano, dis-je.

— Et pour moi un coup de rouquin, décide-t-il.

Il me sourit.

— C'est pas Laurent qu'aurait trinqué avec z'un subordonné. Et pourtant il n'avait pas de quoi faire le fiérot... Parce que sur le plan n'honnêteté !...

— Ah ! oui...

— Je voudrais pas z'être méchant ; d'autant plus qu'il est mort... Mais c'était un combinard... La petite enveloppe, il aimait ça... Vous voyez ce que je veux dire ? Accommodant z'il était avec les ceusses qu'avaient de quoi carmer !

Tiens, tiens, tiens, comme font les gens qui ont de la conversation... Voilà qui jette un jour intéressant sur la personnalité de mon défunt collègue.

Je vide mon godet, imité par Bazin et j'ordonne au patron de changer les draps.

— Dites-moi, Bazin, cette histoire Viaud...

— Oui ?

— Elle me tracasse. Vous avez, votre collègue et vous-même...

— Mathieu !

— Quoi ?

— Mon collègue : il s'appelait Mathieu !

— On s'appelle comme on peut ! Vous avez, disais-je, amené l'espion à Laurent. Qu'a dit celui-ci en vous voyant entrer ?

Bazin réfléchit.

— Il a demandé ce dont quoi qu'il s'agissait.

— Et vous le lui avez dit ?

— ...turellement !

— Et alors ?

— Il nous a demandé de sortir... L'est resté seul avec Viaud... Et un sacré moment, je vous l'annonce...

— Et z'après ?

— Il nous a dit de ne pas z'ébruiter, comme je vous l'ai dit hier...

— Et les autorités militaires sont venues prendre livraison du client ?

Bazin secoue la tête.

— Non... C'est Laurent qui l'a emmené en voiture...

— Il était seul ?

— Seul avec Viaud, oui, confirme le moustachu en trempant son balai-brosse dans de l'aramon.

JE PENSE : DONC JE SUIS !

Depuis quelques instants, il se passe quelque chose en moi. Il y a longtemps que j'espérais ce phénomène. Chaque fois que je nage dans du mystère, il se produit. C'est confus et je peux mal vous l'expliquer, d'autant plus que vous n'avez pas des frites à piger ce qui est écrit entre les lignes à haute tension. C'est instinctif, voilà ! D'abord ça remue en moi un peu comme une vie naissante. Ça s'agglomère, ça se précise, ça se prépare... Laurent-Viaud... Deux hommes qui se sont trouvés en cheville dans une certaine mesure. Laurent a été en partie complice de l'espion. Complice par omission puisqu'il a tu certaines choses à ses supérieurs...

Il l'a emmené lui-même aux autorités. Il a demandé à ses hommes d'oublier l'arrestation, à cause de « plus tard »... Voilà qui est intéressant. Autant de détails importants qui esquissent la participation de Laurent... De Laurent le combinard ! Alors ?

Bazin continue de bavocher... Il en est à sa vie pendant l'occupation. Il a, dit-il, facilité le turbin des maquisards, sauvé des otages, bref, mérité sa statue sur la grande place de Grenoble. Je l'imagine, en sujet équestre, le képi aux sourcils, toute sa connerie perpétuée dans le marbre par un ciseau habile.

— Dites-moi, Bazin...

— M'sieur l' c'm'saire ?

— Lorsque vous avez arrêté Viaud, quelle était son attitude ?

Bazin soupèse ma question. Il caresse sa moustache aux poils de laquelle perle de la vinasse.

— Il n'était très z'embêté, affirme-t-il.

— Semblait-il avoir peur ?

— Peur ?

Le mot grimpe en spirale jusqu'à son entendement.

— Non, déclare le bourdille. Il était seulement très n'embêté !

— Je suppose qu'en cours de route vous l'avez un peu... heu... secoué ? Je suis de la maison et je connais les bonnes vieilles traditions...

Le brigadier ne répond pas. Il est intimidé.

Sentant sa réticence, je lui facilite la confession.

— En pleine guerre, quand on découvre un Français en train de trahir son pays, on n'a pas envie de se montrer tendre avec ce salopard !

— Sûr que non !

Le voilà sur la pente savonnée du toboggan. Il détourne les yeux.

— On y a filé quelques pains dans le museau, histoire d'y faire dire à qui qui causait !

— Bon. Et il a avoué ?

— Pas tout de suite... Y a fallu y donner de la baguette !

— Naturellement. Alors, il s'est allongé ?

— Ouais...

Le poulardin rigole rétrospectivement. Surtout, ne prenez pas les flics pour des gens cruels, ça n'est pas vrai. Ils ont des âmes de poètes et s'ils font les gros yeux, c'est parce que l'autorité commence par là. Ils aiment passer les prévenus à tabac, sans toujours les prévenir, du reste, mais parce que cela aussi fait partie intégrante du métier. Et, comme ce sont en général des gens honnêtes, les bourres, ils aiment leur métier... Suivez-moi bien en vous cramponnant à mon pan de chemise : comme ils aiment leur job, ils aiment le passage à tabac ; C.Q.F.D. ! A part ça, ce sont des natures sensibles...

— Il s'est allongé après qu'il s'a vu pisser le sang par les trous de nez, entame Bazin. On z'y avait mis une avoinée solide, Mathieu z'et moi ! Il était même miro d'un œil vu qu'on y a cassé ses lunettes... A quatre pattes qu'il les cherchait, ce tordu ! Mathieu se marrait en y filant des coups de pied dans les côtes...

Je bondis.

— Ses lunettes étaient cassées ?

— Oui...

— Il en a pris d'autres pour aller au commissariat ?

— Non... Il a gardé les siennes : y avait un verre z'en moins...

Je me dis que pendant l'instruction on a dû lui remplacer ses carreaux. C'est fatal, puisque son cadavre porte des lunettes intactes !

— Bon, vous l'avez laissé avec Laurent... Ils sont restés ensemble un certain temps, et puis ils sont sortis tous les deux ?

— C'est ça.

— Viaud avait les menottes aux mains ?

— Oui...

— Laurent est revenu, le lendemain, au bureau ?

— En coup de vent... Il est reparti et on ne l'a plus revu... Le soir, il était mort...

Bazin s'enhardit à me prendre le bras.

— V' croyez qu'on l'a rétamé ?

Je hausse les épaules.

— Je paierais bien un verre de limonade à celui qui me le dirait.

Le temps de notre séparation étant arrivé, je me lève et lui serre la louche.

— A un de ces quatre, Bazin. Si j'ai encore besoin de vous, je vous le dirai !

— Z'a votre service, M'sieur l' c'm'saire !

Je respire le beau temps retrouvé et je retourne chez le gouverneur militaire. Dans notre sacré turbin, il ne faut pas avoir la trouille de revenir sur le tas inlassablement. Nous sommes comme des abeilles qui, sans trêve, vont butiner la vérité et viennent la déposer dans la ruche...

Il ne faut pas pleurer ses pas. Il ne faut pas non plus avoir peur d'enquiquiner ses contemporains. Cette certitude compte pour beaucoup dans l'esprit dominateur du poulet type. A force de pouvoir disposer de tout un chacun, il finit par se croire détenteur du pouvoir discrétionnaire. Chaque matuche, en soi, est un petit roi... Le roi des contribuables !

LUNETTES TOUJOURS PARFAITES
A PRIX HONNÊTES !

Il y a des journées avec bol et d'autres sans.
Comme il y a des gens avec scrupules et d'autres
sans lacets à leurs souliers.

Je joue de chance, puisque étant venu chez le
général pour y rencontrer le lieutenant Mongin,
c'est sa voix martiale qui m'interpelle depuis une
fenêtre du premier étage.

Il paraît vachement joyce de me revoir, le
jeune blondinet. Probable qu'il est de service en
ce jour de fête et qu'il se languit un brin dans la
bâtisse. La cocotte en papier, ça finit par perdre
de son intérêt. Une fois qu'on est passé profes-
sionnel surtout.

Il dévale l'escadrin et me congratule.

— Vous avez du nouveau ?

— Un petit peu... J'ai besoin de détails
complémentaires...

— Ah ?

— Je voudrais savoir si Viaud a reçu des lunettes pendant son incarcération.

— Des lunettes ? s'étonne le lieutenant.

— Oui. Lors de son arrestation, un verre des siennes s'était brisé, j'ai de bonnes raisons de croire qu'on les lui a remplacées.

Le jeune officier semble perplexe.

— C'est très difficile à préciser au bout de ce laps de temps, vous vous en doutez !

— Prenons le problème sous un autre angle. Ni vous ni moi n'avons connu Viaud. Je voudrais parler avec quelqu'un qui l'a vu pendant sa détention, est-ce possible ? Tout le monde n'est pas mort à la guerre !

— Évidemment ! Seulement, si vous étudiez le dossier, vous vous rendez compte que Viaud a été vite jugé ! Deux interrogatoires, condamnation à mort, exécution le surlendemain ! Le traître Ferdonet sapait les esprits... L'espionite faisait des siennes... On avait besoin d'exemples pour calmer le trouble grandissant. Viaud a été un de ces exemples...

— Voyons, en recherchant parmi les officiers composant la cour martiale, on doit bien trouver un témoin ?

Ça le fait sauter !

— Bonté, que n'y ai-je pensé plus tôt ! Le commandant Tardivaut qui défendit l'accusé est avocat maintenant... Voulez-vous que nous lui rendions visite ?

— Bien sûr...

Nous voilà partis dans la ville où l'air est léger comme un spectacle des Folies-Bergère.

Le lieutenant est frais comme un bouquet de muguet. La tenue militaire lui va bien. Il doit dégringoler des nières avant de se faire coucher lui-même par cette sale grognace qu'on appelle la guerre !

Arrivée chez l'ex-commandant Tardivaut. Une bonne âgée de quatre-vingts berges nous ouvre. On lui demande si le maître est làga et elle nous dit que oui, qu'il vient juste de rentrer de la messe et qu'il va passer à table...

Nous insistons pour le voir. Elle est sensible à l'uniforme du vaillant lieutenant de chasseurs et nous introduit dans un salon aux meubles solennels comme toute l'abbaye de Westminster ! Entrée de Tardivaut. La soixantaine, un air grave et pieux... Une calvitie ripolinée, un costard noir...

Il a une raideur d'ancien militaire et un air froid d'ancien tabellion.

Le lieutenant attaque dans le morcif. Il est intelligent et résume l'affaire sans se paumer dans le labyrinthe des détails.

Le marchand de salades romaines (1) écoute en se mordillant le petit doigt. Il ponctue chaque période du boniment par un bref « Si fait ! Si fait ! » qui sent la bourgeoisie de loin. Pas étonnant qu'il y soit allé du rétamage, Viaud, avec un défenseur aussi gourmé. Son cabinet pourrait s'appeler « Au fin gourmé » ! Ça attirerait le client gastronome.

Lorsque le jeune homme a terminé, je ramasse le crachoir.

— Lorsque Viaud est passé en conseil de guerre, dis-je, avait-il des lunettes en bon état ?

L'avocat lève un sourcil.

— Il n'avait pas de lunettes !

— Comment ?

— Je dis : il n'avait pas de lunettes !

— Donc, on n'a pas remplacé celles qui étaient brisées ?

— Je ne pense pas qu'il ait eu besoin de lunettes pour lire ou se diriger... Il m'a paru avoir une vue normale !

Je bondis.

— En êtes-vous bien certain ?

— Absolument.

— Maître, sa femme, ses amis, des témoins

(1) Allusion au Droit Romain. Ceci, en toute franchise, pour donner aux lecteurs lettrés une impression d'érudition.

sont-ils venus au procès ou bien celui-ci a-t-il eu lieu à huis clos ?

— A huis clos. Ç'a été en toute honnêteté un simulacre de procès.

— Qu'a dit Viaud pour sa défense ?

— Rien... Il n'a pas desserré les dents de tout le procès.

— Vous le connaissiez, avant qu'il soit arrêté ?

— Non...

— Les journaux ont dû publier sa photographie ?

— Non. Tout s'est déroulé vite et avec le maximum de discrétion...

— Vous me permettez de passer un coup de fil ?

— Je vous en prie !

Il m'en prie, mais à regret, because la vieille bonne a mijoté une quiche lorraine qui embaume tout l'appartement.

Je demande la gendarmerie de Saint-Genix-sur-Guiers où j'ai déposé la mère Carotier. Un gendarme rouleur d' « r » me répond. Je déballe mon blaze et ça donne des résultats immédiats puisque le pandore m'assure de ses sentiments déférents.

— Vous avez toujours la dame de cette nuit ?

— Oui. Le parquet de Chambéry doit venir dans l'après-midi.

— Voulez-vous lui demander si son premier mari, Auguste Viaud, pouvait se passer de lunettes ?

Un silence. L'autre endoffé doit se gratter le conduit auditif. Je reconnais que ça ressemble plus à une blague qu'à un exposé en Sorbonne sur la concentration du jus de chique dans l'hormone femelle.

— Si... quoi ? répète-t-il.

Il s'attend à ce que je lui dise « poil aux doigts » et que je raccroche, mais au lieu de ça, docile, je réitère ma question.

— Ne quittez pas, balbutie l'homme à la visière noire.

Un long silence. Puis il revient.

— Non, dit-il, la femme Carotier assure que son mari ne posait ses lunettes que pour dormir... Il était as... assis comak !

— Quoi ?

Je réalise.

— Astigmate ?

— C'est ça !

— *O.K.*, merci...

Je raccroche. Les deux autres me considèrent d'un œil troublé.

— Alors ? demande l'impatient lieutenant.

— Je crois qu'il y a eu maldonne, fais-je sérieusement.

— C'est-à-dire ?

— Je vais vous dire une chose à priori insensée.

— Vraiment ?

— Monsieur Tardivaut, je commence à croire que ça n'est pas Viaud que votre cour martiale a jugé et condamné à mort !

Il tique :

— Vous dites ?

— Je n'ai pas la moindre envie de faire du roman-feuilleton, celui-ci serait très mauvais.

— On aurait jugé un autre homme sous le nom de Viaud ?

— Je pense que oui !

— Mais c'est impossible !

— Oh ! que voilà un mot peu français, mon commandant ! m'écrié-je.

L'avocat se renfrogne.

— Vous divaguez, monsieur le commissaire, permettez-moi de vous le dire. Voyons, si l'individu en question n'avait pas été le véritable inculpé, nous l'aurions su !

— Vous l'auriez su *s'il vous l'avait dit ! Mais vous ne l'auriez pas su si son remplaçant avait accepté de jouer le rôle de Viaud !* Vous venez de

me dire vous-même deux choses curieuses : ç'a
été un procès sans témoins et... escamoté !

Du coup le voilà rêveur, le perroquet... Il sent
son barreau chanceler sous ses pattes.

— Ce serait invraisemblable, croit-il bon de
murmurer néanmoins.

Le lieutenant de chasseurs, lui, frétille. Il est
abonné à *Mystère Magazine* et du moment qu'on
lui construit du superpolice, il biche.

Nous prenons congé de l'avocat. On dirait un
dindon. Il nous raccompagne jusqu'à la lourde.
La vieille bonne piaffe de la semelle avec sa
quiche qui a bronzé.

— Au plaisir, maître !

Son appartement, décidément, sentait mauvais. Nous fonçons jusqu'à la maison du gouverneur.

— Voulez-vous venir jusqu'au bar du mess ?
demande mon compagnon... Nous avons du
whisky de première qualité.

Je l'accompagne. Il vient de mettre le doigt
sur une plaie qui s'élargissait en moi ; voilà
plusieurs jours que je ne carbure plus au scotch !
Va falloir changer ça.

Aujourd'hui, le mess est désert. Les collègues
à Mongin sont allés se faire scalper le minaret en
ville. Nous lichons deux godets bien tassés et je
sens que mes facultés réintègrent le domicile.

— J'aimerais tuber à Paris, c'est possible ?

— Ben voyons...

Nous passons dans le burlingue du général (entre-temps, Mongin m'a appris que le gouverneur est à l'inauguration d'une nouvelle cantine. C'est lui qui donne le premier coup de cuiller à pot). Je me vautre dans le fauteuil du zig à glands d'or et je réclame en priorité le numéro du Vieux à Pantruche. Bien que ça soit jour de fête, je pense le trouver au bureau. Le Vieux, je vous l'ai dit mille fois — mais je le répète pour les ceusses qui rappliquent en retard dans la collection — ne quitte pratiquement pas la maison poultock. Il y a son pageot, probable, dans un endroit caché !

— Allô !

Pas de charres, c'est sa voix calme.

— Ici San-Antonio !

— Vous êtes à Grenoble ?

— Comment le savez-vous ?

— J'ai appris par les journaux l'affaire à laquelle vous êtes mêlé et vous connaissant, j'en ai déduit que vous avez profité de vos vacances pour...

Un drôle de champion, le Vieux ! Il nous possédera toujours avec son esprit mathématique et son sens de la déduction.

— Eh bien, vous ne vous êtes pas gouré...

— Il vaut mieux laisser tomber, dit-il... J'ai pris mes renseignements, je crois que vous perdez du temps inutilement.

— Comment ça ?

— C'est compliqué...

— Qu'est-ce qui est compliqué, Chef ? L'histoire du faux fusillé ?

C'est à mon tour de l'estomaquer.

— Sapristi, vous en êtes déjà là ?

— La preuve !

Il est content de son San-Antonio...

— Bravo ! quel chien de chasse ! Que savez-vous au juste ?

— Peu de chose en vérité. Simplement qu'on a arrêté un type appelé Viaud et que ça n'est pas lui qui a été jugé sous son nom !

— En effet. Quelqu'un de nos services a pris sa place...

— Pourquoi ?

— Parce que Viaud faisait partie de l'Intelligence Service. Il était agent double. Son arrestation fut le fait d'un hasard. Comme il était impossible de l'étouffer, l'I.S., en accord avec le Deuxième bureau, a remplacé Viaud par quelqu'un d'autre...

— Et ce quelqu'un n'a pas été fusillé ?

— Pas ce quelqu'un, mais une troisième personne : un vrai condamné à mort qui a subi son châtiment sous le nom de Viaud... L'affaire s'est faite en trois temps, vous saisissez ?

— Fort bien ! Avez-vous entendu parler du commissaire Laurent ?

— Il figure au rapport. C'est à lui que Viaud s'est confié et c'est lui qui a alerté nos services... Nous lui avons donné les instructions nécessaires...

— Et il est mort le lendemain ?

— L'Intelligence Service a la marotte de la discrétion !

— Dites donc, Patron... Pourquoi ce simulacre de procès et cette exécution par personne interposée ?

— Il était important pour l'I.S. que Viaud soit officiellement mort.

— Ne me faites pas crever de curiosité, boss, si vous le savez, dites-le !

— Viaud avait fourni aux Allemands des tuyaux erronés que l'état-major anglais voulait à toute force faire passer pour vrais. Si on n'avait pas exécuté Viaud, lorsqu'un idiot de voisin le démasqua, les boches auraient flairé quelque chose. En le passant par les armes, au contraire, on accréditait en quelque sorte l'authenticité des faux renseignements, vous comprenez ?

— Bien sûr... Mais alors, comment se fait-il...

— Qu'il ne soit pas réapparu après la guerre ?

— D'abord, oui ?

— Sa femme s'était remariée dans l'intervalle... Lui-même avait d'autres projets sentimentaux, il s'est dit que les choses étaient bien ainsi... Il a eu la sagesse de ne pas demander une réhabilitation...

— Où se trouve-t-il maintenant ?

— En Angleterre, je pense... Il faudrait demander au Yard.

— Vous pouvez le faire ?

Le Vieux commence à trouver la conversation longuette.

— A quoi bon ?

— Une idée à moi, Patron...

— Bon... Je vais tâcher de vous obtenir ce détail... Vous rentrez quand ?

— Tout de suite...

— Alors à demain...

Il raccroche et je reste un instant comme une noix devant mon combiné. De drôles de révélations sont sorties de la petite passoire d'ébonite... Nous sommes tombés en plein sur l'un des nombreux mystères de la petite dernière... M'est avis qu'il n'est pas entièrement éclairci...

Je prends conscience de l'existence du petit

lieutenant grâce à une toux discrète qu'il émet
pour se rappeler à mon bon souvenir. Il a pigé
une partie de ce que m'a dit le Vieux par mes
réactions à moi.

— Un drôle d'imbroglio, n'est-ce pas ?
demande-t-il.

— Et comment ! J'enquête sur un mort et
j'apprends qu'il est vivant ! J'enquête à Grenoble et j'apprends que la vérité se trouvait à
Paris ! J'enquête sur un espion allemand, et
j'apprends qu'il était en réalité un agent de
l'I.S. ! Si un jour les cornichons donnent un bal,
j'espère avoir la présidence !

Nous allons écluser quelques nouveaux scot-
ches, ensuite de quoi, comme dirait San-
Antonio, je retourne à l'hôtel douiller ma note
et récupérer ma brosse à dents à changement de
vitesses !

TROISIÈME PARTIE

COMME DIRAIT... L'AUTRE

Grand conseil chez le Vieux. Il a mis sa belle casquette en peau de fesse, celle qui miroite doucement sous le réflecteur de sa lampe de burlingue. Costar bleu marine, comme presque toujours, chemise blanche amidonnée, cravate noire zébrée d'une imperceptible rayure bleu clair. D'un geste qui lui est familier il tire sur ses manchettes en tripotant les boutons d'or fin. Il est nerveux et pensif à la fois.

— Je conçois mal votre entêtement à vous occuper de cette histoire, San-Antonio... A mon avis elle n'offre pour nous aucun intérêt car c'est de l'histoire ancienne...

— Vous trouvez ?

— Qu'elle est ancienne ? Je comprends !

— Non : qu'elle n'offre aucun intérêt... Bonté, elle fourmille en points obscurs non encore élucidés...

Il lâche ses manchettes impeccables et allonge ses mains fines sur son sous-main en peau de Suède. Les paluches itou semblent être en peau de Suède.

— Rien de très mystérieux dans tout ça, croyez-moi ! murmure-t-il.

Je bondis.

— Rien ! Et les lunettes du squelette ? L'espion fusillé sous le nom de Viaud n'en portait pas !

— J'ai eu des renseignements à ce sujet. Lorsqu'il a été fusillé, comme la famille réclamait le corps, on lui a mis des lunettes puisque Viaud en portait, afin de préciser sa ressemblance avec lui.

— Parce que les deux hommes se ressemblaient ?

Le Vieux hausse les épaules.

— Il est évident qu'ils n'auraient pu se faire passer l'un pour l'autre *de leur vivant*. Mais une fois mort, avec une partie de la tête fracassée et une même forme de calvitie, l'espion faisait, paraît-il, assez illusion !

Le Vieux semble désenchanté.

Il se tait un instant.

— Écoutez, Patron, dis-je soudain, prenant mon courage à deux mains. Vous êtes un homme positif. Ne me dites pas que vous êtes satisfait par les résultats obtenus... D'ordinaire vous vous tracassez davantage pour ce que nous ignorons !

Il fait craquer ses jointures.

— Dans les affaires dont je suis chargé, oui, San-Antonio. Mais je vous fais remarquer que vous avez démarré dans celle-ci pour votre satisfaction personnelle. Je la considère comme un fait divers, voilà tout. Et je vous en parle comme je vous parlerais de la nouvelle Citroën ou du raz de marée de Grèce.

Je colle ça dans ma profonde en y bourrant mon tire-gomme par-dessus.

— Patron, il est des faits divers qui vous fouettent la curiosité. Bon Dieu, que vient fiche ce cadavre en Seine-et-Oise quinze ans après son inhumation à Voiron (Isère) ? Et surtout que fait-il dans la voiture de VIAUD ?

Le Vieux hausse les épaules.

— J'espère que nos collègues de la Sûreté nous l'apprendront d'ici peu. Quant à moi, j'ai ma version intime du... heu... phénomène !

— Ah oui ?

Il n'aime pas beaucoup me voir prendre ce ton persifleur et me foudroie d'un regard vipérin.

— Oui ! Le lendemain de son arrestation, Viaud a disparu : je crois qu'il est allé en Angleterre. Il devait posséder quelque chose

que les Allemands auraient voulu récupérer...
Ceux-ci ont fouillé l'auto, ont fouillé l'appartement...

Je secoue la tête :

— Non : ils se sont contentés de demander à
la veuve si elle connaissait le nom des policiers
ayant arrêté son mari...

— Ça revient au même... Vous m'avez dit
que Carotier était dans le réseau allemand de
Viaud... C'est Carotier qui avait dû fouiller
l'appartement au moment de l'arrestation.

— Vous trouvez logique que Viaud ait
embringué son vieux copain dans ce réseau alors
qu'il travaillait en réalité pour l'Angleterre ?

— Cet homme était sans doute un opportuniste, grommela le Vieux. Le fait qu'il n'ait pas
voulu reprendre sa véritable identité le démontre. Il s'est servi de Carotier comme d'un
instrument docile... Et qui sait, peut-être le
boucher était-il l'amant de Mme Viaud à l'époque ? Imaginez que Viaud l'ait su et qu'il se soit
en quelque sorte vengé de cette façon machiavélique ?

J'opine.

— Là, je vous suis tout à fait...

Je mesure combien mon « là » est restrictif.
J'enchaîne.

— Bon, poursuivons. Les Allemands recherchaient quelque chose qu'ils avaient tout lieu de croire en possession de Viaud. Ils sont allés jusqu'au cimetière fouiller la tombe... Mais ils n'avaient pas besoin de trimbaler le cadavre... En tout cas ils n'attendaient pas après la vieille voiture de Viaud pour le faire ?

— Qui vous dit que ce sont les Allemands qui ont enlevé le cadavre ?

— Qui alors ?

— Carotier !

— Quoi ?

Le Vieux sourit exactement comme la jouvence de l'Abbé. Il me domine toujours un brin dans le domaine de la déduction. Il a comme qui dirait des dons de visionnaire, mon chef ! Ses yeux pâles se perdent dans la brume radieuse de son moi second (1).

— Voyons, vous oubliez la filiation... Carotier avait pour sœur la maîtresse de Laurent, n'est-ce pas ?

— Et alors ?

— C'est à Laurent que Viaud a été obligé de se confier. Il lui a fatalement donné le nom des autorités secrètes à contacter d'urgence. Laurent, sceptique, ne devait pas vouloir prendre ça

(1) J'emploie des expressions très simples pour que tout le monde comprenne !

sous son bonnet. Comme Viaud tenait à être rapidement tiré du mauvais pas, il a exercé un chantage sur Laurent, il le tenait avec l'activité de son beau-frère putatif. Laurent a accepté à cause de sa maîtresse. Seulement, ensuite, sachant le crime dont s'était rendu coupable Carotier (qui lui n'appartenait pas à l'I.S.) il a fait chanter ce dernier... Le brigadier Bazin vous l'a dit ? Le commissaire était un garçon combinard. Carotier l'a tué... Il a prouvé qu'il était capable de commettre un meurtre... Il est probable que sa sœur Charlotte lui a donné la montre de Laurent... Ou qu'il se l'est appropriée, le sais-je ?

Je suis suspendu aux lèvres du Vieux. Je sens bien qu'avec sa matière grise il est en train de tisser la toile solide de la vérité (1).

— Alors, interromps-je, histoire de lui prouver qu'entre moi et une portion de Gorgonzola il y a tout de même une imperceptible différence, alors ce serait Carotier qui aurait fait disparaître le cadavre et qui aurait perdu la montre dans le caveau.

— Oui.

— Pourquoi ?

— Mettez-vous à sa place : il a su par Laurent

_____
(1) Comme dirait Jacquard !

que Viaud l'avait eu puisqu'il était en réalité
agent double... Il s'est débrouillé pour savoir ce
qui se passait au procès... Peut-être a-t-il fait la
connaissance d'un gardien de la prison militaire ? Bref, il a compris que ça n'était pas Viaud
qu'on fusillait !

— Alors ?

— Alors, quand les Allemands sont arrivés et
ont fait une enquête au domicile de Viaud,
Carotier a pensé qu'ils exhumeraient peut-être
le cadavre. Ils pouvaient s'apercevoir de la
substitution. Celle-ci, s'ils la découvraient, leur
prouverait que l'exécution avait été truquée. Ce
qui équivalait à dire que Viaud les avait possé-
dés. Par rétroactivité, ce fait compromettait tout
son pseudo-réseau dont lui, Carotier, faisait
partie... Il risquait de se voir accusé de trahison
et de se faire conduire au poteau. Il était plus
prudent d'enlever le cadavre. Il a utilisé l'auto
de Viaud. Sans doute ces messieurs lui avaient-
ils délivré un permis de circuler ? Il a donc
chargé le cadavre dans le coffre, là où vous
l'avez déniché... Puis il est allé cacher la voiture
dans quelque remise discrète...

— Et il l'y aurait laissée quinze ans ?

Mon argument fait tiquer le Vieux !

— Peut-être avait-il caché l'auto ? Peut-
être...

Il ne trouve rien et, agacé, frappe la table du poing.

— Enfin, il y a une explication à cela comme au reste... L'auto est restée cachée avec son macabre chargement. Quelqu'un l'aura volée... Et puis il sera tombé en panne et aura abandonné le vieux véhicule là où votre ami l'a trouvé !

Je réfléchis. Le Vieux a raison. Ça n'a pas pu se passer autrement. Tout s'enchaîne merveilleusement. Pour la première fois depuis le début de l'affaire, je me trouve devant une hypothèse complète, menée jusqu'au bout. S'il y a des erreurs, elles n'affectent que les détails de cet édifice...

Un assez long silence s'écoule. Nous ruminons des pensées certainement parallèles...

— Comment se fait-il que Viaud, citoyen français, ait fait partie de l'I.S. ?

Le Vieux hoche la tête.

— Une fantaisie du hasard. Il avait été pressenti par les nazis au cours de ses voyages d'affaires en Allemagne... Viaud n'avait pas donné suite tout d'abord aux propositions qui lui étaient faites mais un jour il rencontra dans un hôtel un agent anglais... C'était après le coup de l'Anschluss... Viaud, je crois, fut amené à rendre un service à cet homme qui devait l'orienter sur l'espionnage britannique. Ensuite, mystère ! L'I.S. se débrouilla avec lui, l'éduqua... Ça ne nous regarde pas !

J'insiste, parce que, voyez-vous, bande de gougnafiers, quand quelque chose me tracasse je suis plus obstiné qu'une mouche excitée par des latrines de caserne.

— Cette montre, de Laurent...

Je la pose sur le sous-main, sous le nez du boss.

— Vous voyez, elle a contenu un objet dur...

Il regarde.

— Et puis après ?

— Je pensais que Viaud avait remis le fameux quelque chose qui, vous l'admettez, intéressait les Allemands, à Laurent... Et je pensais que c'est à cause de ce quelque chose que le commissaire s'est fait tuer...

Le Vieux secoue la tête avec une pointe de commisération.

— Vous avez trop d'imagination, San-Antonio.

— Je sais, dis-je, je l'ai gagnée dans un concours de circonstances. C'était le premier lot !

Je me lève.

— Ainsi les English sont restés bouche cousue au sujet de la retraite de Viaud ?

— Bouche cousue, non ! Ils prétendent que Viaud a disparu depuis la guerre et qu'ils n'en n'ont jamais plus entendu parler...

— Ce sont de petits cachottiers, Boss.

— En tout cas, je vous le répète, tout ceci ne nous regarde pas !

C'est une mise en demeure pour qui connaît le Vieux et le pratique. Une mise en demeure d'avoir à lâcher le morcif. Il est respectueux des traditions, le Vieux. Ce qui appartient à César ne peut être rendu à Marius, d'après sa conception de la vie. Donc, une personnalité de l'Intelligence Service n'a rien de commun avec le Deuxième burlingue.

— Vous viendrez à la conférence de demain tantôt, me dit-il. Je n'ai rien à vous passer pour le moment...

— *O.K...*

Je vais à la porte.

— San-Antonio ! appelle-t-il.

Je décris sur mon talon gauche un mouvement de rotation impeccable.

— Patron ?

— Soyez gentil : laissez tomber, n'est-ce pas ?

— Mais, bien entendu, puisque c'est un ordre !

Et je me brise en manquant briser aussi la lourde, tellement je suis à cran !

L'ARBITRE DES ÉLÉGANTS

Comme je m'apprête à descendre l'escadrin, l'ascenseur hydraulique que je ne prends jamais because sa lenteur affolante radine à l'étage avec un bruit de course de stock-cars dans une carrière !

Dans l'étroite cabine paraît le buste, puis le tronc et enfin l'ensemble d'un être de légende dont l'élégance bouleverse toutes les règles de la couture masculine. Pinaud, en chair, en os et en serge lie-de-vin... Pinaud avec son costar de chez Albo, son bitos presque neuf qu'il a racheté à la veuve d'un sidi guillotiné. Pinaud avec sa chemise blanche et une cravate violette agrémentée d'une tache de graisse, de deux auréoles de Beaujolais et d'une traînée de jaune d'œuf... Pinaud comme jamais nous ne l'avons vu dans les Services... La moustache taillée de frais, avec naturellement un côté plus court que l'autre. L'œil moins chassieux, le menton inégalement rasé, le maigre cheveu inondé d'une lotion de pommadin de village...

Il sourit en m'apercevant, sort de la cage vitrée, se coince le pan de la veste dans la porte coulissante, l'en retire zébré de cambouis et me tend une main plus flasque qu'un kilo de vieux colin n'attendant plus qu'un peu de mayonnaise pour faire une fin.

— Tu as passé de bonnes vacances? demande-t-il.

— Merveilleuses!

— Où es-tu allé?

Je hausse les épaules.

— Au zoo... Il y avait là-bas un vieux macaque qui m'a beaucoup fait penser à toi.

— Toujours spirituel, grommelle Pinuche.

Puis, fier comme Bar-Tabac, il fait un pas en arrière afin de se mettre en relief grâce au recul. Comme il a omis de repousser la porte de l'étage il manque s'offrir un valdingue de dix mètres dans la cage, les fermetures de cet appareil archaïque n'étant point automatiques.

Je le cramponne *in extremis* par un aileron.

— Tu ne remarques rien? demande-t-il en arrondissant le bras pour donner de l'aisance à sa veste.

— Si, fais-je, tu as un bouton de fièvre au coin de la lèvre.

— Non, pas ça !

Je fais mine de ne pas voir le complet neuf ; je le défrime avec un parti pris farouche.

— Parole, je ne vois pas... Ta moustache est mal taillée, ce qui te donne l'air plus abruti que de coutume ; c'est de ça que tu veux parler ?

Il hausse ses maigres épaules auxquelles les rembourrages de Fernand donnent d'extravagants biscotos.

— Je voulais parler de mon costume neuf, tranche-t-il. Je crois que ton ami me l'a assez bien réussi, non ?

— Une merveille ! Ce qui me plaît par-dessus tout c'est la couleur. Qu'en a dit ta digne épouse ?

Il est un tantinet gêné.

— Oui, elle m'en a fait le grief... Elle trouve qu'il faut être jeune pour porter cette teinte-là.

— Il faut plutôt être courageux... En tout cas, tu as changé d'aspect. Le Vieux t'a vu ?

— Pas encore...

— Alors ne le fais pas languir... Va dans la lumière, Néron : le peuple t'attend...

Il gronde des protestations. Puis il s'éloigne. Comme il va pousser la porte il se retourne :

— Pendant que j'y pense, dit-il, ton ami Fernand m'a chargé d'une commission pour toi !

— Je sais : j'ai une note en retárd...

— Non, il a dit que c'était au sujet de l'histoire... Je ne sais pas de quoi il a voulu parler...

— Tu ne lis donc pas les journaux ?

— Non... Je suis allé à la pêche, ces jours... Avec mon ami le dentiste, tu sais ? On est allé dans un étang, figure-toi que j'ai pêché un brocheton à l'asticot...

— Tu es certain que ça n'était pas un poisson rouge ?

— Idiot !

— T'as plutôt une bouille à attraper les fleurs de nénuphars !

Il s'insurge. Son costar neuf lui donne de l'assurance.

— San-Antonio, j'ai vingt ans de plus que toi et...

Je lui frappe le dos.

— Y a pas de mal, mon vieux, vous êtes tout excusé !

Je le laisse, béant de mauvaise humeur et je quitte la Manufacture de chaussettes à clous qui rétribue mes bons offices.

Ça me fait plaisir de retrouver le quartier, les aminches, le bistrot d'en face.

Justement ils ont une nouvelle serveuse. Une chouette gamine de seize carats, pas plus, avec un type provençal ou rital, du poil aux jambes et des yeux qui vous ouvrent littéralement la porte des magasins généraux. Ça me fait penser qu'hier soir j'ai posé un lapinuche carabiné à la soubrette de mon hôtel. Décidément, je n'aurai pas été ravagé par la galanterie au cours de mon voyage à Grenoble.

Le gros Bérurier qui sort de l'hosto (1) et qui passe sa convalescence à la maison Parapluie histoire de se changer les idées, est là, au rade, racontant au patron son opération en éclusant un grand blanc pudiquement teinté de cassis.

Il m'accueille en levant les bras.

— San-A. ! Tu tombes bien, je cherchais justement qui c'est qu'allait raquer mon glass ! On fait un 421 ?

— Pas le temps !

— Alors en un coup sec ?

Le mastodonte qui préside aux destinées de l'établissement avance une piste. Béru chope les dés savamment, de façon à sortir tous les as d'une seule jetée... Au moment où il va pour jeter les cubes, je lui pousse un peu le coude et il dégauchit un 322 qui lui fait pousser des clameurs d'agonie.

J'annonce une tierce et je commande un scotch histoire de le mettre au supplice. Béru me

(1) Voir : *Ça tourne au vinaigre*.

fait remarquer que le prix de ma consommation est disproportionné comparativement à celui de la sienne, à quoi j'objecte que rien n'ayant été précisé relativement à l'enjeu, il doit s'estimer heureux que je ne commande pas une choucroute garnie en supplément. La petite bonne qui a tout vu se marre comme les trois orfèvres. Je lui balance mon œillade pour mineure perverse et je sens que si dans un an et un jour sa mère n'est pas venue la chercher, elle sera pour ma pomme.

— Annonce un jeton de téléphone, dis-je au patron, et sers la mienne à ce pauvre blessé.

Cette décision calme instantanément les vitupérations de Bérurier. Je me rends dans la cabine téléphonique où un client futé a écrit en caractères d'imprimerie qu'il déféquait sur tous ceux qui liraient ce message. Je compose le numéro de Fernand et sa voix calme se glisse dans mes trompes d'Eustache.

— Ah ! c'est toi, San-Antonio ? Tu as du nouveau ?

— Couci-couça...

— Parce que moi, j'en ai...

Je m'étrangle.

— Toi ?

— Oui... Parfaitement, ça t'épate ?

— Non : ça me bouleverse... Vas-y, j'ouïs !

— Ce serait trop long, tu ne peux pas venir jusque-là ? J'ai en ce moment un essayage...

— Ça boume, le rate pas, je viens de voir Pinuche : son costar, t'as intérêt à le signer d'un pseudonyme !

Fernand se met à protester en bon commerçant.

— D'accord, la couleur est assez marquante !

— C'est pas une couleur, c'est une explosion ! Et la veste, dis, tu as vu où elle descend ? Il est obligé d'en soulever les pans pour monter dans l'autobus.

— Il faut toujours que tu te fiches du monde, proteste Fernand, tu ferais mieux de t'occuper de ton travail, au lieu de le laisser faire par les autres !

Et sur ces paroles qu'on me concédera sibyllines, il me file son déclic en travers de la terrine.

LES SAINES LECTURES

Je trouve Fernand au troquet voisin de son magasin de hardes. Il écluse délicatement un quart Perrier agrémenté d'une rondelle de citron.

— Les clients me fatiguent, aujourd'hui, m'explique-t-il. Ils te demandent la lune, et quand tu la leur donnes, ils râlent parce qu'elle brille moins qu'ils ne le supposaient !

Je me juche sur un haut tabouret, près de lui.

— Ne fais pas de littérature, gars... Traduis-moi plutôt en clair ton message chiffré de tout à l'heure...

Il vide son glass et me considère d'un œil scrutateur.

— Qu'est-ce qu'on vous apprend dans la police ? s'informe-t-il. A appuyer sur le bouton du vert pour laisser passer les bagnoles ?

— Oui, fais-je, et aussi à ramoner le pif des tordus qui la ramènent inconsidérément.

Ça l'amuse.

— Alors, cette enquête ?

Son œil pétille comme un feu de sarments.

— Elle est close...

— Pour cause de décès ?

— Oui...

Et de rire parce que c'est le propre de l'homme.

— Dis donc, San-Antonio, je t'ai mis sur une chouette affaire, tu pourrais avoir la politesse de me raconter l'histoire !

Je ricane :

— Hé ben voilà, c'est un nègre qui entre dans un bureau de tabac. Il dit à la buraliste : « Donnez-moi un paquet de gri-gri et une boîte d'amulettes... »

Fernand reste de marbre.

— A force de prendre les gens pour des cons, tu finiras par te faire des relations, affirme-t-il.

Je lui flanque une bourrade.

— Fais pas cette bouille, je vais éclairer ta lanterne japonaise.

Pour la énième fois je me livre au résumé des chapitres précédents. Il m'écoute, bouche bée, captivé par le récit.

— Tu parles d'une épopée, murmure-t-il de temps à autre.

Lorsque j'ai achevé, il murmure :

— Alors tu crois que Carotier avait enlevé le corps, et qu'il avait planqué la voiture jusqu'au jour où celle-ci a été volée ?

Je hausse les épaules.

— Non, c'est mon supérieur hiérarchique qui s'en tient à cette version. Mais elle ne satisfait pas le célèbre San-Antonio, l'homme qui remplace le beurre et les maris en voyage ! Que Carotier ait enlevé le corps, c'est possible, et même probable. Ce gars a bien été capable d'étrangler sa frangine parce qu'elle le menaçait de le dénoncer... Mais il n'aurait pas laissé le cadavre dans une bagnole et la bagnole dans un hangar, c'eût été contraire à ses principes.

— Tu parles !

— C'était le genre de gros tas qui aurait enterré le bonhomme dans son jardin histoire de donner de l'azote à ses rosiers nains...

— Tu parles, répète Fernand qui à ses heures manque de conversation.

— D'autre part, m'obstiné-je, il est impensable que quelqu'un ait eu envie de voler un os pareil... Un voleur de bagnole choisit de préférence un truc capable de rouler...

Mon pote, le roi de la mesure industrielle (le

luxe de Dizimieu-les-Tronches et des Champs-
Élysées réunis) me met la main sur l'épaule.

— Ce qui revient à dire que je suis dans le
vrai !

Je le toise, comme s'il passait le conseil de
révision.

— Cesse un peu de faire le mystérieux, Fernand, et déballe ton plat de résistance...

Il fait signe au barman de remettre le couvert.
Lors, s'étant regazéifié la gargante, il attaque,
d'un ton précis :

— Voilà... Lorsque tu as été parti, l'autre
jour, ainsi que tes illustres collègues, je me suis
mis à réfléchir...

— Ça a dû te donner de la température,
coupé-je.

Mon intervention lui cavale sur le grand
zygomatique.

— Je t'en prie ! proteste-t-il.

Et il poursuit, imperturbable :

— Ce long week-end se présentait, je n'avais
rien à fiche et ce cas m'intéressait d'autant plus
que c'était moi qui l'avais découvert...

— Très joli préambule, tu devrais le faire
peindre en jaune...

— J'ai donc décidé de faire mon enquête, moi
aussi...

— Voyez-vous ! Le peigné-pure-laine ne suffit plus à mossieur !

— J'aime les romans policiers et j'ai toujours
rêvé d'être détective.

— Alors tu as pris une bouteille de scotch
dans ta poche et tu t'es mis à faire de l'œil à
toutes les nanas de passage en leur disant :
« Hello, poupée ! » C'est ainsi que procèdent
tous les détectives de roman.

— Non, dit Albo. J'ai fait travailler mes...

— Cellules grises ? Signé Hercule, avec un H,
comme Poirot !

— Oui. Vois-tu, je savais que tes collègues et
toi alliez chercher l'origine du mort, celle de
l'auto... Que vous alliez enquêter sur les lieux de
départ de l'un et de l'autre... Bref...

— Bref ?

— Que vous alliez négliger, provisoirement
du moins, le lieu d'arrivée.

Je vide mon verre. Il me semble brusquement
qu'on fait éclater un sac en papier à mes oreilles.
Qu'est-ce à dire ? Le gars Fernand qui vient me
donner des cours du soir à prix de faveur ?

Pourtant, ses dernières paroles m'ont branché
en direct sur les grandes ondes. Je fronce les
sourcils, ce qui est une façon conventionnelle
peut-être, mais efficace, pour marquer l'intérêt.

— Le lieu d'arrivée, Fernoche ?

— Oui. Je me suis dit : « Et si cette voiture et son chargement ne se trouvaient pas ici par un simple résultat du hasard ? *Et si on les y avait amenés dans un but déterminé ?*

— Tu t'es dit tout ça, Fernand ?

— Oui, San-Antonio ! Tu n'as pas le privilège des déductions profondes.

— T'as dû te bourrer de Kalmine pour en arriver là, non ?

— Pas nécessairement... J'en prends seulement lorsque je te quitte !

Je ricane :

— Et alors, qu'a donné cet éminent raisonnement ?

Il soupire.

— Quelque chose qui pourrait bien être un résultat. C'est du moins ce que je crois depuis que tu m'as raconté ce que tu as appris... Je t'ai dit, l'autre jour, dans ce même bar, que la voiture insolite se trouvait dans une propriété dont la construction s'est trouvée interrompue par la mort de son propriétaire ?

— Je sais, il est allé embrasser un pylône...

— Je me suis renseigné à la mairie de mon bled sur le personnage...

— Alors ?

— C'est un certain Aristide Veller... Un sujet

britannique fixé en France depuis très peu de temps.

— Tiens, tiens...

— Tu commences à t'intéresser à mes exploits à la Sherlock, non?

— Un peu, continue!

— Sais-tu où il s'était fait domicilier depuis son arrivée en France?

— Non?

— A l'adresse de la maison non construite... Il a planté un poteau avec une boîte aux lettres sur le terrain dont il s'était rendu acquéreur et il s'y est fait adresser son courrier.

— Voyez-vous!

Je demande:

— Il avait quel âge, ce citoyen?

— Une bonne cinquantaine.

— Voyez-vous!

Et des initiales qui me bottent: A. V.! Auguste Viaud!

Fernand paraît tout émoustillé par l'intérêt qu'il provoque.

— Il y a mieux, déclare-t-il.

— Quoi, mon fils?

— La boîte aux lettres subsistait sur le chantier. Rouillée, bien sûr, et le pieu qui la soutient est à demi couché... Mais elle contenait du courrier...

Il se fouille et retire de sa poche une lettre dont l'écriture est décolorée par l'humidité. Le papier est mou, spongieux, auréolé de taches brunes... Fernand l'a déjà éventré. Je retire une lettre dont l'écriture pointue est d'une pâleur cadavérique. Les pluies l'ont diluée et il faut se cramponner aux voyelles pour la ligoter.

Fernand glousse d'aise en me voyant bouquiner la missive. Il scrute mes réactions d'un œil gourmand et triomphant.

Je lis :

Cher A...ristide !

Je suis au regret de t'informer que je ne te donnerai pas un sou de mieux. En voilà assez. Fais ce que tu voudras ! N'oublie pas en tout cas que les temps ont changé. Même si le mariage était cassé on continuerait d'habiter ensemble, elle et moi. Quant au reste, ça resterait à prouver. Que tu aies eu le mal du pays, ça se comprend, mais ça n'est pas une raison pour emmerder le monde !

La bafouille n'est pas signée, mais Carotier n'avait pas besoin de la faire authentifier par le commissaire de police de son bled pour que je la lui attribue. Si j'en crois la teneur de la missive, Viaud avait une moralité spéciale... Un jour les services anglais n'ont plus besoin de ses services et il s'est cherché des moyens d'existence... Le mal du pays le prenant, il est rentré en France et a eu l'idée de faire chanter Carotier qu'il savait riche. Il le menaçait de réapparaître, ce qui aurait évidemment rompu le mariage du boucher avec la « veuve » Viaud. Un vrai turbin ! Et comme salade on ne fait pas mieux ! D'après la lettre du retraité des abattoirs, il a raqué une première fois, et copieusement, puisque Viaud a entrepris de se faire construire une carrée. Seulement il n'a rien voulu chiquer à la seconde mise en demeure !

J'examine le tampon de la poste. La bafouille a été postée de Chambéry il y a six mois environ.

Fernand qui a des dons certains va au-devant de ma question.

— Cette lettre a été postée le jour où Veller s'est tué...

— Non ?

— Si. Et sais-tu où il s'est tué ?

— Non ?

— A Pont-d'Ain, c'est-à-dire sur la route Grenoble Paris...

— Dans quel sens ?

— Il rentrait sur Paris...

— Après avoir rendu visite à ses petits amis Carotier... Évidemment, il ne pouvait guère écrire des lettres de chantage. Sa visite avait du reste plus de poids !

— Non, tu vois, puisque Carotier l'envoie

aux quetsches... Dès que l'autre a eu tourné les talons, il s'est précipité sur son papier à lettres.

— Le courage des faibles, murmuré-je en évoquant le gros lard... Un pauvre type sans limites, capable de tout avec pourtant une certaine innocence.

Je gamberge un moment.

— Justice immanente. Le maître chanteur se tue en revenant du boulot ! Le doigt de Dieu !

Fernand hoche la tête.

— Voilà pourtant qui n'explique pas la présence de l'auto dans la propriété du pseudo Veller trois mois après son décès !

— Non, mais en tout cas tu as magistralement pensé en te demandant si l'auto se trouvait là par hasard. Chapeau, tu es le successeur désigné d'Einstein !

Il a le triomphe modeste.

— On remet ça ?

— D'ac, mais en plus alcoolisé, l'eau qui fait pschitt c'est pas tellement mon idéal.

Fernand remarque :

— Ce que je viens de t'apprendre infirme définitivement la thèse de ton chef comme quoi l'auto aurait échoué là par la seule fantaisie d'un voleur de vieux clous !

— Ça ne l'infirme pas, ça la pulvérise...

— Qui donc, en ce cas, a pu conduire le teuf-teuf jusque chez Veller ?

— Quelqu'un qui ignorait sa mort !

— Mais qui n'ignorait pas sa véritable identité ?

— Tu l'as dit !

— Et qui tenait à lui faire une sacrée vacherie, non ? Parce qu'enfin, cette carcasse de fusillé dans son ancienne voiture... Tu parles d'une blague !

— Elle bat tous les poils à gratter du monde, toutes les cuillères fondantes et autres verres baveurs !

Je la boucle un moment.

— A quoi penses-tu ? insiste cet insatiable Fernand.

— Je pense qu'il a fallu une planque de tout repos au gars qui camouflait la voiture ! Un os de cette dimension, tu te rends compte ? Le soustraire du monde pendant...

Je bondis en bas du tabouret.

— Nom de Zeus !

— Quoi ? croasse mon pote, les sourcils à l'horizontale.

On dirait qu'il a à la base du front une hirondelle en plein vol. Ses yeux veloutés distillent de la curiosité à plein régime.

— Je pense à quelque chose...

— Vas-y, je t'écoute...

— Non, classe, c'est trop ténu, rien que d'en parler ça pourrait le briser.

— Mais...

Je fiche une claque amicale à mon ami.

— Va déguiser l'humanité laborieuse en Brummell, moi j'ai école...

Sur ces paroles senties je m'évacue du troquet et je cours jusqu'à ma bagnole dont un poulardin relève le numéro because elle empiète passablement sur les clous.

— Ne vous donnez pas tant de bobo, vieux, lui dis-je en présentant mes fafs, nous marnons pour la même taule, y a que le rayon qui change !

Et me voilà fonçant sur Fontenay.

AU RAYON DU HASARD !

Je vais à la mairie de Fontenay, service du cadastre, et j'y parviens au moment où les employés s'apprêtent à aller grailler la tortore de leurs bonnes femmes.

Le chef de service est sensible à ma personnalité et consent à différer son alimentation pour satisfaire à mes questions.

Je lui annonce l'adresse de la propriété de feu Veller et je lui demande à qui Aristide Veller a acheté ce terrain. Il plonge dans un gros registre et son nez de rat musqué court sur les pages calligraphiées.

— La propriété appartenait à une dame Carotier, veuve Viaud, qui l'avait héritée d'un premier mariage.

Non, les gars, ne criez pas au miracle. Ne vous dites pas que j'ai le nez en forme de pompe aspirante ou que je suis doué d'un sixième sens, seulement je me sers très bien des cinq que le Bon Dieu m'a dévolus et ça donne d'excellents résultats.

En parlant de l'auto avec Fernand tout à l'heure, et de la planque aux pommes qu'il avait fallu, je n'ai pu m'empêcher d'évoquer la propriété voisine de celle de mon ami. C'est une sorte de petit terrain vague en pente qui démarre depuis la voie ferrée. A cet endroit la ligne est à au moins vingt mètres de hauteur et, dans ce remblai naturel se trouvent des grottes artificielles servant de hangars autrefois aux paysans qui cultivaient ce terrain. Ces cavités dans la colline constituent des abris merveilleux. Le reste du raisonnement, d'accord, n'a plus été qu'une question de blair. Par exemple, en évoquant le terrain, je me suis dit qu'il était surprenant que quelqu'un ait eu l'idée de l'acheter pour y faire construire. Comme situation il est plutôt tartouze et *il faut l'avoir à soi* pour se décider à y bâtir maison. Or, je me suis rappelé que, sur le permis de conduire de Viaud trouvé sur le cadavre, il y est écrit qu'il est né à Fontenay...

Je demande à l'employé qui me lorgne d'un œil indécis.

— Et, avant Auguste Viaud, qui était propriétaire du terrain ?

Il part en recherches.

— Son père, Sébastien Viaud, maréchal-ferrant à Fontenay...

Voilà, nous y sommes ! Le gars Auguste, futur agent double, a été un mouflet. Il a couru dans les rues de cette banlieue, il a joué sur ce terrain vague où son père remisait les vieux chariots qu'on lui donnait à réparer... Un jour, vieillissant, il en a eu marre de l'aventure. Il a tout plaqué et il est revenu en France. Il s'est mis en cheville avec les Carotier pour avoir le terrain, ils le lui ont donné. Ensuite il a voulu du fric, et alors ça n'a plus été du kif !

Le louchebem tenait à ses piastres, à sa tranquillité, à la gonzesse pour qui il avait fait les pires couenneries. Viaud-Veller lui a rendu visite en vain, il a dû lui dire qu'il réfléchirait et puis, dès que l'autre a eu repris la route de Pantruche, il lui a écrit la lettre que vous savez.

— Merci, dis-je au préposé de la mairie.

— De rien, murmure-t-il, je suis un fonctionnaire, comme vous !

Les hommes ont toujours la manie de se gargariser avec des formules tricolorisantes (du moins lorsqu'ils sont français). Le bleu, couleur du ciel, comme dit un comique célèbre, le blanc, couleur de la blancheur et le rouge qui, s'il était vert, serait la couleur de l'espérance.

— C'est rare de voir un fonctionnaire qui fonctionne, riposté-je en lui tendant cinq doigts valeureux qu'il touche timidement comme une relique.

Comme il est l'heure des braves et que mon estomac qui a la parole fastoche crie famine (et il est poli !) je vais grailler un morcif dans un restaurant du type « chauffeurs de taxis ». En y consommant un céleri rémoulade et un steack échappé d'une cordonnerie-express, je lie connaissance avec des maçons, ce qui est plus aisé que de lier une sauce. On lie les sauces avec du vin blanc et on se lie avec les maçons au moyen du vin rouge (1).

L'un des gars, habilement questionné par mes soins, finit par me rencarder sur l'entreprise de maçonnerie qui a commencé la construction de la maison du faux Veller. Il s'agit de la maison Maideux Fils, rue du Lieutenant-Colonel Sabre-tache, à Fontenay.

J'y parviens à l'instant précis où une horloge paresseuse égrène le coup d'une heure et demie (si j'ose dire).

Je tombe sur un vieux pionard à la trogne

_____

(1) Certains esprits chagrins déploreront la pauvreté de ce trait d'esprit. C'est à eux que je le dédie, car je considère comme un devoir de fournir du pain à ceux qui ont faim, et de quoi s'indigner aux râleurs.

vultueuse. Il a du poil sur le nez, alors que la plupart des gens en ont à l'intérieur. Ses yeux marinent dans le vin rouge et il sent bon le légionnaire négligé.

— Monsieur Maideux ? m'enquiers-je.

Il secoue la tête à la fois pour marquer une rigoureuse négation mais aussi pour faire choir le filament argenté qui pend de sa narine droite.

— L'est mort, déclare le maçon avec un accent italien.

— Son fils n'est pas encore arrivé ?

— Non.

— Vous allez peut-être pouvoir me tuyauter. Il s'agit de ce chantier que vous aviez commencé mais qui n'a pas été fini, près de la voie ferrée.

— Chez l'Anglais ?

— Voilà ! C'est vous qui...

— C'est moi qué jé dirigeais l'équipe...

— Alors vous allez pouvoir me renseigner... Au cours des travaux, n'avez-vous pas remarqué une vieille voiture dans l'une des grottes artificielles creusées dans le remblai ?

Il hésite et se trouble. Sa bouche aux lèvres ripolinées par le picrate s'entrouvre comme celle d'une carpe hors de l'eau.

— Répondez !

Il secoue la tête.

— Je... Non... C'est...

Affolé, le vioquard ! Pour lui filer le grand saisissement je lui expose ma carte et alors c'est la grosse crise d'asthme. Il manque d'oxygène et ses éponges font bravo.

— Il vaudrait mieux que vous me disiez la vérité, insisté-je. Quand c'est un poulet qui vous la demande, on a toujours de graves ennuis en ne la disant pas.

— Quand j'ai lou dans le journal, Madona ! J'ai dit au pétit de ne pas en parler... Si on avait su qu'il y avait un pauvré mort dedans le coffre, Christo Santo, on l'aurait laissée où elle était !

— Allez-y, Pépé, je vous prête une oreille attentive que vous me rendrez à la sortie !

Dans un français rendu pratiquement inaudible par l'émotion, il me bonnit la vérité, rien que la vérité.

Oui, au cours des travaux ils avaient repéré une bagnole, son gâcheur de mortier et lui, dans l'une des grottes. L'auto était dissimulée sous des fagots de bois. C'est en allant assouvir un besoin pressant que le commis avait fait cette trouvaille... Seulement, comme Veller leur tombait sur le poil à chaque instant, ils n'avaient touché à rien... Et puis l'English (!) s'était tué et les travaux avaient été interrompus... Plusieurs mois s'étaient écoulés et un jour, Maideux fils avait voulu récupérer des bâches demeurées sur le chantier. Il avait donc envoyé le Vieux et son commis avec la camionnette pour charger le matériel subsistant dans la maison inachevée.

L'arpette s'était souvenu de la vieille guimbarde et avait dit au Vieux qu'il voudrait l'amener au jour. Ils avaient débarrassé les fagots et avaient poussé la vieille Renault hors de son trou. Par jeu, le môme avait mis dedans un peu de l'essence de la camionnette et avait essayé de la mettre en marche. Miracle de la bonne marchandise d'avant-guerre. Malgré ses années d'immobilité, malgré que la batterie se fût vidée, le teuf-teuf avait pu démarrer à la manivelle. Le gamin avait parcouru quelques mètres avant de caler. Ils avaient alors abandonné le véhicule là où il se trouvait. La machine leur était sortie de l'esprit et puis, l'autre jour, ils avaient appris par la presse la macabre découverte que nous avions faite, Fernand et moi. Ça leur avait collé les jetons et ils avaient décidé de ne pas moufter.

Je regarde le vieux. Bien sûr, c'est ainsi que les choses se sont passées. Ça ne peut pas s'être passé autrement. Cette tire n'avait que quelques mètres dans le ventre après son séjour de quinze ans dans la grotte. Elle ne pouvait venir de loin… Pourquoi ne me suis-je pas fait la réflexion tout de suite ? Parce que j'ai découvert le cadavre et que je n'ai plus pensé qu'à lui ?

Oui, sûrement. Comme quoi il ne faut pas toujours regarder ce qui est le plus visible...

Fernand avait raison...

Tout cela je l'enregistre... Et puis je poursuis mon boulot de déductions et je me dis que si la voiture se trouvait là où elle était, c'était parce que Viaud l'y avait amenée. Je me dis encore que si Viaud l'a amenée dans la fausse grotte, c'est parce que c'est lui qui a exhumé le cadavre de l'espion fusillé à sa place. Du reste, n'était-ce pas son intérêt? Car enfin, si les Allemands avaient appris que le mort n'était pas Viaud, ils en auraient conclu que Viaud était un gars qui les avait drôlement feintés et ils se seraient mis sérieusement à sa recherche... Bon, Viaud a donc déterré son « remplaçant »... Mais alors! Alors c'est lui qui avait la montre de Laurent? Et s'il l'avait, c'est parce qu'il avait tué le commissaire... Il l'a tué parce que celui-ci en savait trop. Le Vieux n'a-t-il pas dit que l'I.S. ne laissait rien au hasard? Pourquoi lui avoir volé sa montre ensuite? Parce qu'elle contenait quelque chose que Viaud avait confié à Laurent au moment de son arrestation... Par simple mesure de sécurité... Quelque chose que les Allemands ont cherché à récupérer par la suite...

Le vieux Rital est toujours là, titubant sur ses

flubes. Il a les yeux qui lui pendent sur les joues.
Les poils de son naze frissonnent dans la brise…

D'autres mecs radinent… Une petite gouape
entre autres… Je suis prêt à vous parier une
rame de papier contre une rame de métro qu'il
s'agit de l'apprenti dont m'a parlé le roi de la
truelle. Au regard qu'ils échangent je sens ça…
Je lâche le vieux et je m'approche du jeunot.
Cheveux bruns, rouflaquettes, œil bravache,
petite médaille à dix ronds sur la poitrine…
Vous mordez le personnage ? Ça se prend pour
un casseur. Ça se bigorne avec des potes quand
c'est gelé, ça fait de la moto…

— Par ici, petit gars !

Il me regarde. Il s'efforce à prendre l'air vache
de vache…

— De quoi ?

— Amène-toi, j'ai deux mots à te dire.

L'apprenti tourne son regard vers le vieux qui
détourne le sien. Je guide le petit mec jusqu'à
ma voiture et le fais monter. Puis je m'installe au
volant. Je réfléchis. Je n'ai pas envie d'attaquer
sec… Autant le laisser mijoter et ne pas faire de
fausse manœuvre…

Je pense que ce gamin s'est donné bien du mal
à sortir l'auto de la grotte… Il a déplacé les
fagots, il l'a nettoyée, il a bricolé le moteur, mis
de l'essence… Tout ça, ça n'était pas pour voir si

elle fonctionnait. C'était autre chose qu'un jeu... Il voulait la chouraver, simplement. Il s'était dit que le propriétaire du coin étant clamsé, il pouvait s'emparer de la vieille tire sans gros risques... Seulement il ne l'a pas fait ! Pourquoi ? Aurait-il ouvert le coffre et vu son contenu ? Non, le coffre était rouillé, j'ai dû faire de gros efforts pour l'ouvrir... Alors ?

Je le sens fondre. Sa pomme d'Adam monte et descend... Il salive pour essayer de parler, mais il a peur que sa voix se brise. Enfin il articule, comme s'il parlait dans un cornet de carton :

— Qu'est-ce que vous me voulez ?

Je lui montre ma carte :

— Police !

Ça le stoppe presto. Je m'élance :

— Le vieux m'a tout dit... Allez, aboule ce que tu as trouvé dans l'auto lorsque tu l'as eu sortie !

Il reste un instant immobile...

— T'entends ! Ça va chauffer pour tes plumes, gars ; je te le prédis sans avoir besoin de lire tes lignes de malchance !

Il hésite encore... Je lui prends l'oreille délicatement entre le pouce et l'index.

— Tu as tort de te faire tirer l'oreille... Elle

pourrait me rester dans les mains... Tu entends ! ! !

J'ai hurlé, il a eu un sursaut...

— Oui, m'sieur... Je ne savais pas de quoi il s'agissait... Je...

Il relève son pull, il a comme ceinture une large sangle de cuir avec des poches hermétiques... Il fouille dans l'un de ces compartiments et en sort une petite boule de papier de soie.

Je la lui arrache des doigts et je me trouve nez à nez avec un splendide diamant... Fiévreusement, je m'empare de la montre de Laurent et je colle le diam dans le boîtier. Il s'y emboîte juste...

— Ce... c'était sous le klaxon, dans le volant, bégaie l'autre... Le disque était coincé... Je l'ai dévissé et... je... je ne savais pas...

Je lui montre la portière :

— Fous le camp ! Et n'y reviens plus... Tu as de la chance que je sois un bon type... Va gâcher ton mortier et apprends à bâtir des maisons, ça te rapportera tout compte fait davantage que les sales petites combines.

Il se taille sans demander son reste...

Je glisse la montre dans ma poche...

— Sacré Viaud ! Je comprends pourquoi il a buté Laurent...

UN PETIT FUTÉ

Le Vieux examine le caillou à la loupe. Le verre grossissant sert de prisme et crible le crâne du Boss de mille feux scintillants.

— Magnifique pierre, décrète le patron...

— On n'en trouve pas dans des pochettes surprises...

Le boss se caresse la coupole.

— Viaud avait ceci sur lui au moment de son arrestation. Cette pierre appartenait aux Allemands, sans doute devait-elle servir à payer une grosse légume étrangère... Il l'a confiée à Laurent à toutes fins utiles en attendant que son cas s'éclaircisse. Laurent a gardé la gemme. Il n'a pas voulu la rendre à Viaud qui l'a buté pour s'en emparer...

Triomphant il me regarde.

— C'est très simple.

Je secoue la tronche

— Pas exactement de votre avis, Patron...

— Voyez-vous !

— Si la pierre avait appartenu aux Allemands, Viaud l'aurait emmenée en Angleterre... Il ne l'a pas fait parce qu'au contraire le diamant lui avait été remis par les Anglais. Lorsqu'il a été libéré quelques heures après son arrestation, il s'est dit qu'après tout il pouvait se constituer un gentil capital... Il a repris la pierre à Laurent et a tué ce dernier, de façon que l'I.S. croie que le policier marron avait été victime de gens du Milieu auxquels il proposait le caillou. Croyez-moi, c'est plutôt quelque chose dans ce goût-là...

« Veller-Viaud a pu faire admettre cette version à ses chefs anglais. Il a poursuivi son boulot de l'autre côté du Channel. Et puis il est revenu en France pour y mener une existence de peinard...

« Alors l'idée lui est venue de construire sa hutte sur le terrain de ses premiers jeux... Il avait pris ses précautions pour que celui-ci ne soit pas vendu par sa « veuve », étant donné le véhicule qu'il recelait ! Comme ça devait être, d'après ce que j'ai appris de lui, un fameux combinard, il a voulu se procurer du liquide par Carotier... Il est probable que l'I.S. surveille pendant un certain temps ses serviteurs après qu'ils l'ont quitté. Viaud, qui le savait, n'était pas pressé de monnayer le caillou... »

Le Vieux fait couler la pierre dans sa main.

— Et dire que jc vous avais ordonné, ce matin, de lâcher l'affaire...

Je le regarde en biais.

— Il y a ordre et ordre, Chef... Vous avez des « non » qui veulent dire « oui »...

Un heurt à la porte. C'est Pinaud qui vient au rapport. Il se tient un instant immobile dans l'embrasure de la fenêtre, pour faire valoir son beau costar. Et le Vieux et moi pouvons constater qu'il s'est assis sur un banc fraîchement peint.

FIN

ACHEVÉ D'IMPRIMER LE
20 JUILLET 1976 SUR LES
PRESSES DE L'IMPRIMERIE
BUSSIÈRE SAINT-AMAND (CHER)

— N° d'impression : 737. —
Dépôt légal : 3e trimestre 1976

Imprimé en France